売れるデザインのしくみ

トーン・アンド・マナーで
魅せるブランドデザイン

ウジ トモコ

BNN
Bug News Network

はじめに

広告業界における4マス広告、つまりテレビや新聞などの旧メディアの衰退はデザイン業界にも激震を及ぼしています。

CMや広告で「もの」は売れないという定説、そして宣伝費の削減という社会現象は、デザイン業界のシンボルでもあった最も華やかな世界、つまりデザイナーの目指すべき目標値と、デザインの価値基準ともいうべき二つの柱が否応なく移り変わりつつあることを示しています。古き良き旧時代のデザイン業界の繁栄は、今まさに崩壊へと向かっているのです。

もちろん、これは広告という狭義の中でのデザイン・クリエイティブの話です。商品開発や企業経営というもの作りの革新部分や、戦略としてのデザイン・クリエイティブというものはむしろ熱い注目を浴びています。

つまり、マーケティング活動全体からの視点で考えれば、デザインへの期待は絶大であり、ブランドビルディングのためのデザイン戦略は今や必須となっているのです。それは、マーケティングの視点を持った、マーケティング活動としてのデザイン戦略を行っていかなければならない、ということを意味します。

本書に登場する、トーン・アンド・マナー（トンマナ）という言葉は、長らく広告制作関係者の間で使われてきた、いわゆる「業界用語」です。広告を生業とするものであれば誰でも、担当する商品の発祥からその未来図までをまずはリサーチし、その業界独特の「匂い」のようなものを嗅ぎ取る技術は必須です。

昭和から続く広告業界で伝えられ引き継がれてきた「トンマナ」の使用法の多くは、「その業界らしく見える」「無難にセーフティゾーンを取る」ための戦略的手法として、今日まで使われてきたと言っても過言ではないでしょう。

そして、いわゆる「イノベーター」と呼ばれる企業が、あえて既存のトンマナを打ち破る新しいコンセプトを戦略的なデザインで実装し勝負に出ています。その結果、世界で躍進を続けています。新しい概念で、斬新な商品カテゴリーやサービスを作り、業界のファーストワン、あるいはナンバーワンとして先行者利益を手中に収めているのです。

このようにすでに世界で躍進する企業の存在を考えると、「トンマナを理解し、マーケティングに取り入れること」は、デザイン戦略の金山と言っても過言ではないでしょう。

新しいニーズを満たすためのデザイン戦略では、既存の企業事例を参考にしたり、追随したりするのではなく、デザインがそもそも持っている力や役割を正しく知った上で、あなたにとってのデザインの正解、つまりあなたにとっての「金山」を掘り当てていただく作業が必要になります。

この本のゴールは、今、あなたの目の前にあるデザインが「あなたにとって正しいかどうか」ということを、あなた自身が自己診断できるようになり、これがデザインの正解に違いないと確信を持っていただくことにあります。

デザインの正解……、それはとても大切な問題なのに、デザイン案件の担当者、あるいはデザイナー個人の「負担」としてあたり前のように課せられてきました。そんなことよりも「誰々が何々のデザインをやった」というインフォマーシャルのほうが、ずっとずっと大切なことだと皆で勘違いしていたのです。

最近では、デザインの本やブログのテンプレートも沢山市販されています。しかし、デザイン初心者やいわゆるノンデザイナーの方が、一瞬にしてベテランと同じスキルを身に付けるということは、この業界一筋に生きて来た専門家から言わせれば、正直なところとても難しいと言えます。本当に使えるデザインに近付くためには、概念や経験が必要でないはずがありません。

そこでこの本では最も効率よく、着実にデザインの正解に到達できるようになるために、マーケティングでいう「ポジショニング」という概念を理解し、これをデザインと組み合わせて販促全般の「コンバージョン」を上げる方法を紹介します。

このポジショニングや差別化は、ブランディングやマーケティングの大きな後押しをしてくれ、それは専門家しか判断ができない高度なデザインの技とは違う種類のものです。多くの人に一瞬で理解してもらえる「共通認識」を使い、直接ターゲットの「感情」に訴えるアプローチ方法。つまり、コミュニケーション能力の非常に高い手法です。誰だって、せっかくデザインにお金や時間をかけるのであれば大きな効果を得たいでしょうし、大切な宣伝広告費をポンとドブに捨てたくはないはずです。

思いおこせば、それは私が大学四年生の時の忘れられない思い出です。

多くの優秀なクリエイターを排出していることでも知られる大手広告代理店の新卒採用、それも最終試験という絶好の舞台で、みごとに「デザインの失敗」をやってしまいました。

作品選考や面接をパスして最後の枠に残っていたにも関わらず、ひらめきだけの安易なデザインで解答用紙を塗りつぶしてしまった。しなくてはならないことは明らかだったのに、それができなかった。「なんとなく」「雰囲気で」「頭にひらめいてしまった」ビジュアルを冷静に見直すことができず、そのまま絵にしてしまったために一生のチャンスを、代理店のスターアートディレクターになるという夢を、わざわざ270分間かけて、自らの手で潰してしまったのです。

私はこの時の「失敗のデザイン」について、忘れたことはありません。

けれども、今あらためて考え直してみれば、むしろこの「思考のズレ」にこそ、マーケティングとしてのデザインのヒントがありました。マーケティング的な思考から、トンマナを考えていけば、デザインができあがってから間違ったと気付くリスクは減り、ブランドを支える視覚効果の資産として展開できます。ところが宣伝から考えたデザインは、イコールマーケティングやブランディングの正解ではないため、汎用性にはあまり期待ができません。つまり、宣伝としての秀逸なデザイン、昨日までの正解のデザインが「明日の正解のデザイン」とはならないかもしれないのです。今、時代に求められているのは、宣伝のためのデザインではなく、機能や存在のためのデザインなのです。

「デザインの正解」を導き出すということ。それは決して難しいことではありません。一歩ずつ、確実に正解に近付きましょう。たぶんあなたも、「言われてみれば確かに」と、膝を叩いて納得してくれるに違いありません。

まずは、あなた自身が体感してみてください。自分らしさやデザインの正解は、こうやって作るんだ、と。

Part1

売れるデザインのしくみを考える　15

2

はずれないデザイン戦略を探せ！ 49

Part2

売れるデザインのしくみを使う 131

3

実践、トーン・アンド・マナー　―デザインの印象を守る　213

Part 1

1

もう、ハズレのデザインを作っている暇はない?!

検証！　間違った印象はこんなにダメージを与えてしまう

「（人間の）目は、心が理解する用意があるものだけを見る」

この言葉は、歴史をさかのぼること約１００年前のフランス人哲学者、アンリ・ベルクソンの名言で今に伝えられています。これは、人間は目ではなく心でものを見ているのだということと共に、私たちが望むべき姿で「見られにくい」という事実を示す言葉でもあります。

情報化が進む今日、コミュニケーションの速度は増す一方であり、それよりももっとやっかいなことは、そのつながりのすべてが「ダイレクト」に伝わっていく仕組みがあることです。これは、私たちの第一印象の重要性は日に日に増していて、情報過多の時代に、非言語コミュニケーションや右脳的なメッセージの重要性はさらに増すということを意味しています。

さて、今のあなたの「印象」は望むものになっていますか？　会社のウェブページは？　名刺のデザインは？　何かネガティブな要素があって、初対面の人に誤解を与えているということはないでしょうか。一度染み付いてしまったイメージはぬぐい去るのに非常に労力を必要とします。今からお話しする事例は「まさか」と思われるかもしれませんが、本当に日常的に起こっていることなのです。

急げ！ リ・ブランディング。ダメCIは、坂道を転げ落ちる
―機器メーカーのケース

「またこのパターンだ」

都内近郊のある機器メーカーからの依頼を受けて、デザインリニューアルのためのコンサルティングをしていた私はすぐに、「それ」に気付きました。

「どうぞ、事務所は狭くて申し訳ないのですが」

そう言いながら迎えてくれた担当者は、実に腰の低い人のいい感じの課長さんでした。依頼主の仕事に対する想い、というものは受託事業者には非常に敏感に伝わるもので、担当者自身が彼の会社やブランドといったものをとても愛しているのがよく分かります。

しかしそれにしても会議室は居心地が悪く、山と積まれた資料はフォーマットがバラバラで、ロゴの位置さえあっちこっちにという始末。既存の会社案内やらウェブページやらの資料を拝見させてもらい、私は「それ」が「例の危険パターンである」ということに気付いたのです。

それは、どこかで見たことがあるような無個性のロゴマークに、マークのデザインとはどうも不似合いな日本語社名ロゴタイプ。英文のロゴは媒体ごとに斜体がかかったり、フチ文字になったり…。

「なぜ、英文のロゴは何パターンもあるんですか？」

「さぁ、それがさっぱり」

「それと、住所表記は間違っていませんか？　メールアドレスの表記もないですし…」

不必要に厚い紙に、名刺を差すための切り込みポケット付きの表紙。この会社概要は、コンテンツはおざなりの割に明らかに印刷費を掛けすぎだと思われました。中間マージンを取ってビジネスをしていたのが、印刷業系のブローカー営業だったのでしょうか。

時代感がある殺伐としたＣＧ画像が燦然と輝く、表２対向見開きページは、どう考えても昭和の香りが漂い、ポジをなくしたためか反射原稿からスキャンしたような商品写真は、モアレが酷いものでした。

「課長さん。あのすみません、ちょっと質問があるのですが、これら（既存の会社案内やウェブ）の大元となっているものは80年代、いえ、もっと前に制作されたものではないですか？」

「いや、実はおっしゃるとおりで、改訂、改訂で今に至っていましてね…。こちらが、現状のウェブサイトです。これも使いづらくって…。どこに何があるのか、写真も何が何だかよく分かっていないんですよ」

それは検索エンジンを過剰に意識したウェブページで、あまり誠実でない業者に言われるがままに作ってしまったように思えました。大量のテキスト情報には、太字と斜体とアンダーラインがあちこちにあり、どこから何を読んだらいいのか分からない状態です。しかも、それらは他の紙ツールとの連動が全く取れておらず、担当者も気にしていない様子です。

「これだったら、こんなつぎはぎにお金を掛けずに、コンテンツをきちんと作り直したほうが、明らかに安上がりではないでしょうか?」

「ええ、実際そうなんですよ」

80年代から90年初頭に起こった、日本史上空前のCI(コーポレイト・アイデンティティ)ブーム。当時の日本はバブル経済のまっただ中で、内外の影響を受け規模に関わらず多くの企業がCIを導入していました。

しかし実際には、「アイデンティティ」や「ビジュアルコミュニケーション」というCI本来の意味は、日本人の実感としては理解されず、ほとんどは「ロゴを作り変える」「キャッチコピー、スローガンを作る」といったところにその予算や労力が割かれました。

その後、2002年から03年頃、先端技術を扱う上場企業などはIT技術の進化とともに電子データ化や企業情報のホームページ移行が進みました。この時、今まで紙媒体中心で作られてきたVI(ビジュアル・アイデンティティ)を、デジタルメディアに適正化した企業もありましたが、当時すでにバブル期の悪影響を受けて、IT関連だけの設備投資で精一杯という企業の多くは、以前、手間暇かけて作ってしまった会社案内などについて「改訂」という一時しのぎの技でやり過ごしていたように思います。

「課長、問題はデータが古い、ということだけではないんですよ」

「いやあ、デザインもね、なかなか難しくてね。会長ゆかりのところに一式任せっぱなしだったというのもよくないな」

汗を拭き拭き、新しいお茶を出してくれる課長。

「最近はね、あれだよね。お洒落じゃないと若い人も寄り付かないんだろうけど、なかなか、これが大変なんですよ。システムには元々予算を組む習慣があるけど、デザインにお金を掛けるって、そんな贅沢…。っていうか浮いているお金はないんですよ」

「お立場はよく分かります。でもね、今のこの状態はすでに坂道を転げ落ちているようなものなんですよ。いろんなものを、日々失っているんです。お金とか、時間とか、信用とか…、人気もです」

「……。そうですよね、失っているんですよね」

「こういうケースは非常に多いんです。こちらだけじゃありません。当時は、日本全体がそこはどうでもいいというような雰囲気にのまれていたんですから。いずれにせよ急がないと、このまま放っておくのはとても危険ですよ」

アップルやグーグルが一般の人に広く浸透したことによって、デザイン戦略がグローバルなビジネスに欠かせないということをリアルな感覚として認識したという方は多いと聞きます。実際のところ、もしアップル社のｉＰｏｄがあのようにあか抜けたデザインでなかったら、どうだったでしょう。

個人、企業に関わらずビジネスを今以上に向上させたいのであれば、広報宣伝とは違う、商品開発やマーケティングと同じ意味合いでのデザイン戦略が必須です。そしてそれは消費者の認識において、ものの価値やスペックとほぼ同等の意味を持ちます。

価値のあるもの、競争力のあるもの、そしてそれが企業であれサービスであれ、その技術力と同等のデザインを身にまとう必要があるのです。なぜなら、そのままの状態にしておけば価値を半減して評価されてしまい、気付かれないかもしれません。でも、気付かれないのはあなたのせいなので文句も言えません。

ですから、デザイン戦略を導入しないということは、本来正当に主張できるはずの権利や価値といったものを自らが放棄してしまうことに等しいのです。

あなた（とあなたの会社）の本当の魅力を伝える努力をしましょう。多くの人が、様々なものの価値をぱっと目の印象や雰囲気で決めてしまいがちです。

デザインをトータルに考えていくことで、例えば会社の雰囲気をがらっと変えてしまうこともできるのです。この対人間において非常に影響力を持つ独自の印象、つまり「雰囲気や世界感」のことを、広告業界では「トーン・アンド・マナー」と呼んで、コンセプトの立案に役立てていました。

この本では、デザイン戦略を雰囲気や世界感、つまりトーン・アンド・マナーで考え、ブランドやマーケティングに高い効果をもたらすことを狙っていきます。「デザイン戦略って何？」という人も「雰囲気」の話なら、分かりやすいはずですね。

以降は、トーン・アンド・マナーを略して「トンマナ」と使っていきますので、この言葉とその意味を覚えておきましょう。

豊富なデザイン知識↓でも越えられない壁
―コンサルタントのケース

今まであまりきちんとデザインについて考えてこなかった人は、これからデザインをどうしようかと実際に考えた時に初めて、その下絵のような、カンペ（カンニングペーパー）のような、青写真的なリソースが非常に世の中には少ないということに気が付くのでしょう。先ほどのメーカーは、まさにそういった意味からの相談でしたが、これはそれとはまた違い、知識がツールにはなりえないというケースで、あるコンサルタントの方がデザインの相談に来た時の話です。

「ともかく立派な人に見えるようなデザインにして欲しい」

「業界ウケするようなデザインにして欲しい」

この人は、決してふざけているのではなく、かなり真剣にこれでデザインのオリエンテーションをしたつもりになっていました。そして、コンセプトやトンマナの違う有名人のブログやサイトのデザインを「参考資料です」と言って、次々と送ってきます。

世の中の好きなもの、美しいものを全部集めて机の上に一度に並べても、決して「美しい印象」や「鮮烈なイメージ」は生まれてきません。デザインの戦略とは和食も中華も洋食もどれも好きだから、ファミリーレストランを作ろうという話ではないのです。あなたが、しっかりとした意志を持って素材や調理法を選び、お客さんがはっとしてくれるような新メニューを作るということなのです。

実はこの時、この方は、このインプットにならないインプットを持って、素敵なデザインやVIが完成してくると信じていました。この後、数回にわたるヒアリングを行ない、方向性を持った参考デザインを選び直し、数案の方向性が違うドラフトを作り直しては、「こういうことでしょうか?」「作りたかったデザインはこれですか?」とやり取りをしました。そして、かなりのインパクトと信頼性を兼ね備えたキービジュアルまで導きだし、本人も気に入ったからリリースしようということになりました。すると今度は突然、前夜に彼の恋人からこっちのイメージにするべきだとアドバイスされたと、デザインの大幅修正依頼がきたのです。むろん、これはこのタイミングで言うべきことではなく、そういったリクエストがあるのならあらかじめオーダーしておかなくてはいけません。

こういったケースは、商業デザイナーにとってはごく日常的に起こりうることであると感じています。「鶴のひと声、デザイン戦略」と私は皮肉を込めてネーミングしていますが、リリースの直前に「上司に言われたから」「社長が気に入らなかったから」という理由で、そこまでのドラフトサンプルを破棄してしまう人も珍しくないのです。

このケースの場合、非常に残念なのは、依頼者はかなりのデザイン愛好者であり、ファッションについても気にかける人であったということです。つまり、デザインに対する苦手意識などは前述のメーカーなどとは違って皆無で、かつデザインについての知識は豊富であるにも関わらず、アートディレクションといった部分について、ごっそりと抜け落ちてしまっているのです。

私は、デザインが「カメラやパソコンのようなビジネスツール」にいつまでたってもなれない原因はまさにここにあり、日常的に多くの人に使ってもらうためには、大きな壁を二つ乗り越えなければならないと考えています。そして、時間をかけてじっくりとかつ丁寧に説明をしていかないといけないと、強く思っています。私の考える乗り越えるべき二つの壁とは、次のものです。

①「アートディレクション」についての無関心

②「デザインの知識」のコレクション化

①の「アートディレクション」とは、現実と直結している実用的なビジネススキルだという実感は、日本の商業デザインの現場ではあまり感じ取ることができません。アートディレクターという職業自体もまだまだ誤解されています。感性や自分の好みで、遠い異国へ会社のイメージを放り投げる強面の人……という間違った印象を持たれている人がいますが、実際は、もちろんそうではありません。アートディレクションとは正確なインプットによって正常に作動する、アウトプットツールなのです。

②については、デザインについての知識があるのはとてもよいことです。けれども、いざデザインを使うとなると、大きな壁が存在しているのです。このタイプの間違いの原因は、多くがデザインの知識のコレクション化にあります。有名なアーティストや作品の名前を知っているというだけで、彼らの上がったステージに自分も一緒にいる気持ちになり、何もしていないのに幕を閉じてしまうのです。

彼らと一緒に演技をしたり、リズムを取ったり、そういったアクションを起こさなければ、現実は何も変わりません。

「マーケティング」と「デザイン」の間に溝を作っていないか

新しいメディアやツールが次々と生まれ、デザインやアートディレクションといったジャンルでも、今まさにグローバル化とフラット化に向かって突き進んでいると言えます。

思えば、私がまだアシスタントだった若かりし頃、世の中はバブル期のまっただ中だったのですが、これほどの情報化社会ではなかったので、広告にしろコンテンツにしろとにかく「知名度」や「お墨付き」が何より重要でした。ですから、腕に自信があるクリエイターはもちろん、知名度を上げたい多くのアートディレクターたちは、仕事とは別に「持ち出し」といって、会社の費用を使って賞取りのためのデザインに精を出していました。

知名度のために団体に入り賞を取る。有名なクライアントの仕事をする。メディアに露出するような仕事だけを狙って受注する。これをするかしないかで、当時のデザイナーや事務所のブランディング、評価までもが全く変わってしまっていたために、多くのアートディレクターやクリエイターがこの賞取りに熱中せざるをえなかったのです。

当時の評価軸を考えれば、これは明らかに業界のポジション取りではあります。もちろん、マーケティング的な課題をすべてクリアして、広告賞などを受賞できる実力者もいなかったわけではありません。しかしそれは、アートディレクターの器量だけでなく、他のクリエイティブなパートナーの協力が必須条件で、その他にも様々な条件をクリアせねばならず、やはり手っ取り早いのは、前者の方法でした。

この業界ウケのアートディレクションに日本中の評価軸を定めてしまったために、不況やバブル崩壊の波の中で「きれいなデザインは売れない」「広告で重要なのは、アートディレクターに好き勝手をさせないことだ」というような誤解を、ダイレクトマーケティング（テレビCMや新聞広告などのマス広告でない、売り手が顧客にダイレクトにアプローチを仕掛けていく手法。いわゆる通信販売業界がそれにあたる）業界を中心に植え付けてしまいます。ここから、インターネットマーケティング（主に検索エンジン対策を主とするキーワードマーケティングなど）やワンツーワンマーケティング（一対多数に対し、一対一を前提としたマーケティング全体に対する呼び名。インターネットマーケティングの中のパーミッションマーケティングなども含まれる）VS広告・アートディレクションという対極構造ができあがってしまったのです。

今現在のアメリカやネット先進国では、ダイレクトマーケティングのノウハウよりもデザインチュートリアルのほうが明らかに盛り上がりを見せています。つまり、日本もあと10年、いえ、もしかしたらほんの数年で、ノンデザイナーと言われる非業界人がデザインをマネジメントしなければならない時代がやってくるかもしれないのです。

ダイレクトマーケティングの手法自体は、正しく使えば大きな効果が望めると言えます。ただし、一般的にダイレクトマーケティングに関する書籍においてデザインについての記述は、偏った内容のものが多いため（これは、予算配分において、クライアントが真剣にデザインに費用を掛けてしまったら、多くのダイレクトマーケターやコピーライターのギャランティが激減してしまうという事態が起きるため）あまりお勧めできません。かといって、自分の作品のグラフィティだけを並べてある、作家性の強いアートディレクターのサンプルを見ても、実際に何千万、何億という広告予算がないのであれば、あまり参考にはならないのです。

そのため、ダイレクトマーケティングの考え方やワンツーワンマーケティングの手法についても、正しく理解してデザインマーケティングと共存させていくことが必要です。インターネットマーケティングについても然りです。今後、インターネットマーケティングは、最も大きな力を持つでしょうが、常にマーケティングについては俯瞰して現状のベストを探ることが重要ではないでしょうか。なるべく多くの意見に耳を傾け、少し勇気がいるかもしれませんが、戦略としては絞って狙い撃ちをしていくという、今までとは違う新しいやり方が必要です。もうすでにネットだけ、デザインだけ、コピーだけという時代ではないのです。

気付かないうちに、時代の溝にはまっていないか
―ビューティーサロンのケース

最近、ある美容室の経営者が相談に来ました。非常に勉強熱心な方で、すでに様々なマーケティング手法を駆使しつつ、自社開発の商品に力を注ぐ精力的な経営で、店舗の拡大に成功されています。中小企業としては、広告出稿についても実に積極的で、多くのマーケティングデータもお持ちでした。

実際にメールを送っていただいたのは、経営者ではなく主要店舗のマーケティングマネージャーでもありクリエイティブの責任者でもある方でした。

さて、その相談の内容というのがまさに、マーケティングとデザインの溝を埋める作業でした。過去のマーケティング事例をいろいろと見せていただいたのですが、(どれも、前述のダイレクトマーケティング型、あるいはダイレクトマーケティングという種類に属するもの)これがちょうどこの数年間で効

果が出なくなってしまったということでした。

あるお客様にその美容室はこのように言われたそうです。

「こんなにオシャレなお店だって思いませんでした。あのチラシを見た限りでは…」

その言葉にマーケティング担当者やオーナーは、もしかして現在の店のマーケティングは間違った方向に向いているのではないかと感じて、非常にドキッとしたのだそうです。

そして、ダイレクトマーケティングを軸にしたマーケティング手法を重んじるあまりデザインやイメージがおざなりになっていることに気付いたというのです。その時、そのマーケティングマネージャーはコピーライティングの手法自体が効かなくなったというよりもむしろ、時代の変化を感じたそうです。

「このままでは、売り込むことには積極的だけれどもあまりセンスを感じないヘアサロンというレッテルが貼られてしまう」

「別の種類のビジネスに見えてしまうかもしれない。このままではいけない。時代に取り残されてしまう……」

彼らはこのような危機感から、デザインの見直しを相談しに来たのでした。

成分のよさをどうやって視覚的にマーケティングするのか

前述の美容室と似通った事例はいくつもあります。セールスプローモーションに熱中するあまり違う業種、どちらかというとセールスがきつい業種に間違われてしまったり、高品質な商品なのに成分の劣る類似品と同じに見えてしまったりするのです。

このようなケースの場合、品質のよさが伝わらない限り、購買への意欲も商品への信頼も感情的な欲求も起きません。では、どうやったら視覚を積極的に使い、高スペック商品に見せることができるのでしょうか。基本はこの三つです。

①他に(すでに)流通しているものと形状を変える
②異ジャンルの高品質のものと、同じトンマナを付ける
③デザインの品質(クラス)そのものを上げる

こうした要素が、一つあるいは二つ以上クリアできていれば、成分のよさや品質の高さは充分なアピールになり、しかも受け取る側は別の認識、「期待できる気がする」「他のものとは違う」「私の好みであ

る」などと受け取ってくれるため、積極的な「売り文句」とは、異なる認識と捉えてくれるのです。具体的には次のようなことです。

①の顕著な例はｉＰｏｄですが、「今までとは違う」というビジュアル表現は、マーケティングにおけるナンバーワンの法則を満たすことになります。

②人は物事を判別する際、周囲環境や背景、関係性、つまりポジショニングで判断するということに着目をします。

③②と非常に似ていますがよりストレートな手段でいわゆるクラスアップになります。

このように、「成分のよさをどうやって見せるのか」というはっきりした課題があった時、ステップとしては対象を選び、求める成果を示し、形状、トンマナ、クラスというポジショニングに密着した表現手段を選ぶところから視覚的なマーケティングを導入していきます。

ほとんどのケースにおいて、この三つのステップの特にトンマナによる、目指すカテゴリーに一気に近付けるデザイン戦略が非常に扱いやすい上に、費用対効果が高いことは明らかです。

なぜなら、形状を変えるにあたっては多くの場合、仕様の変更やラインの追加が必要になり費用が上がります。デザインの品質を上げるには、高いギャランティを払って有名デザイナーに頼み、ドラフトサンプルの数を増やして高品質のデザインができるまでトライ＆エラーを繰り返したり、印刷の種類や塗料、素材の写真などの予算を多く見積もってクオリティを上げるなどしなければならず、コストと効果を考えた時にはどうしても覚悟を決めてもらわなければならない出費が必要です。

高スペックであるということをコストパフォーマンスを考えて表現したいなら、トンマナの使い手になるしか方法はないと言っても過言ではないのです。

女性ファンが多い人気サイトの共通点

私が講師をさせてもらっている非常に人気のセミナーで「女性を惹き付けるデザインマーケティング」というものがあるのですが、これは主にロジックやマーケティングの観点から、「こうすれば女性にウケる」というような内容のことをお教えしています。

先日、有名なアルファブロガーさんのご協力で、少人数制のブログデザイン勉強会を特別に開催させてもらったのですが、彼らのデザインの要望や現在の読者層、今後の要望などをヒアリングしていて非常に面白いデータがありました。女性にウケがよいいくつかのポイントをきっちり抑えていた方は、確かに女性読者が多く、聞けば聞く程、セミナーのとおりの結果になっているのです。本当にびっくりしてしまいました。

以前読んだことのある『話を聞かない男、地図が読めない女―男脳・女脳が「謎」を解く』（アラン・ピーズ、バーバラ・ピーズ著、藤井留美訳／主婦の友社）という書籍にも非常に興味深い記述があり、それは、女性の「かわいいもの好き」は、女性脳にもともと仕組みとして埋め込まれているものだというもの。具体的には、「女性は、生まれた時から本能的に丸い形が好き」だったり、「赤ちゃんが丸いので、視覚情報からすでに愛着のようなものを感じてしまう脳になっている」というものです。もちろん、１００パーセントとは言えないかもしれませんが、角を取って丸みを帯びているデザインを採用しているブログの女性支持率は、他の男性的なデザインを採用しているものよりもはるかに高いのです。

「〇〇さんのサイトって、女性ファンが多くないですか？」

「女性読者は多いですよ。書き込みしてくれる女性も多いです」

「そうですよね。私の事務所は女性ばかりなのですが一番人気でした」

こうしてサイトの運営者の方によくよく聞いてみると、かなりデザインにこだわっていることが分かりました。ヘッダーに入っているイラストは素人のそれではなく、業界でも非常に有名なイラストレーターの方のものでした。

色彩のユーザビリティについても本人なりに時間をかけて考えられたそうで、また行間やスタイルシートにはものすごくこだわりを持ってデザインのテストを繰り返したそうです。

こちらのサイトに関わらず、女性ウケがよいサイトには明らかな理由があります。女性ウケしないサイトと何が決定的に違うかというと、文字の色やイラストで受け取って欲しいイメージをきちんと再現できているかどうかということです。そして、それが女性側からの視点でちゃんと考えられているということです。

たった、それだけのことです。

最小コスト、最短時間で作る、最強のデザイン戦略とは?

まだ、私が若かりし頃、デザイン事務所や広告代理店では3月や9月という企業決算月の直前に、突然の仕事ラッシュがよく訪れたものです。これは、当時多くの企業には(もちろん今もあるかもしれませんが)消化しなければならない広告予算というものがあり、言い方は悪いのですが何が何でも使って欲しい、何でもいいからとりあえず作って欲しいという需要があったのです。

最近のセミナーなどで「このやり方は小予算、省予算のプロジェクトが前提ですから、有り余る予算のある方はこうしなくてもいいのですよ」というお話をさせていただくことがあります。すると、有名企業のエリートサラリーマンたちが皆、口を揃えて言います。

「いいえ。予算はね、本当にないんですよ」

時代は今、大きく変革を遂げています。

思い切って過去を捨てよう! 悪癖発注&慣習が企業を蝕む

ある土曜日の午後のことです。

「大至急、携帯にお電話いただけないでしょうか」

この不気味なメールをよこしたのは、某企業の経営コンサルタント。納品済みの案件について、突然電話をくださいというメールです。背筋を嫌な予感が走ります。

「ウジさん、これでまさか納品じゃないでしょう。だって最初に見せたあれ、〇〇証券みたいにっていう話だったじゃない」

「ええ、ですから、そのようになっていますけど。というか、修正確認をお願いした時は、そのようなお話は出ていなかったかと」

「速さとかさ、〇〇証券よりちょっと遅くない?」

「あまり速い動きのフラッシュは、貴社の顧客には疎ましがられると思いますが…」

「いや、ほら、もっとそっくりにして欲しいんだよね」

「貴社は〇〇証券でないので、あまりそっくりすぎるものはまずいと思うのですが…。第一、そっくりにすることに何の意味があるのでしょう?」

ここまできて、私ははたと現状に気付きました。このパターンはもしや……。そうです、この経営コンサルタントには、王様のような上司がいるのです。きっと、この王様上司コンサルタントとのコンセンサスで「〇〇証券、いいよね」という話になっていたのでしょう。ここまでスルーだったのはきっと「王様上司」に見せていなかったからでしょう。ここへきての上司チェック(たぶん、金曜日の夕方あたり)で焦り、今日になって電話をよこせということになったにまず間違いありません。

「〇〇証券みたいに」というのは、ありがちなオーダーなのですが、それが何のためなのか、誰のためなのかという最終的なゴールをまずはしっかり持つことです。この「〇〇証券みたいに発注」は、時間やコストが有り余っていた時代の慣習。

「新しいさぁ、〇〇みたいなのいいねぇ」

「じゃ、作ろっか」

といって、企画して、ドラフトをさんざん作って、きちんとしたクリエイターをキャスティングして……。そうして、もの作りすることもありました。古き良き、80年代後半からせいぜい90年の初頭です。〇〇みたいなのいいねーは、まさに広告発注におけるバブル期の忘れ形見であり、テストマーケティングでさえ追い付かないような現代社会のマーケティングとして、あるべき姿ではありません。

結局こういう発注の仕方では、時間切れのようなかたちで、業者が早く終わらせてクロージングしたいというところで納品を迎えます。クリエイターやデザイナー、もの作りというものの本質を知っている人は、決してこのような発注はしません。

そういう人は、最初に共通認識を作りゴールをはっきりさせることで、品質やオリジナリティを上げるということと、結果としてコストパフォーマンスを上げるということが同じ方向を向いているということをよく知っているからです。

現状分析と未来想定から作るデザイン戦略

現状分析とか未来想定なんていうと、とても難しい、ちょっと自分には向かないかなぁと思われる方もいるかもしれません。

では、これをビジネス視点から見てみましょう。例えば「経営戦略」あるいは「問題解決」というテーマだったらどうでしょう。

経営を改善するために、どこかうまくいっている会社の過去データを持ち込んで、そっくりに真似しましょうというコンサルタントがいるでしょうか。もちろん部分的に参考にしたり、数値のサンプルを取ることはあるかもしれません。しかし、事業内容や事業規模が違う会社であれば、必ず何かしら異なる要素や異なる課題が出てくるはずです。これをシンプルでやさしい言葉に置き換えてみます。

現状分析↓今の立ち位置を知る

未来想定↓ゴールを決める

参考資料やどこかの会社のよくできたデザイン見本があなたの会社のデザインのゴールにはならないということをよく覚えておくべきなのです。

間違えられてはいけない対象は？

「すみません、御社が間違えられてはいけない対象は？」

これは、デザインをブランディング、マーケティングにおける戦略やポジショニングにするためによく使っている「差別化」のための質問です。

実際のデザイン戦略の現場においても、「差別化のためのキーワード」として、念を押している部分です。デザインマーケティングにおいて、まだまだ認識不足だと思うことなのですが、「色をどうするか」「形をどうするか」ということと、「デザインのトンマナをどうするか」という問題は、戦略においてディレクトリがすでに異なるのです。

「不動産業界っぽい、デザインでお願いします」などと、その業界の特色を出すようにオーダーをされることは相変わらず多いのですが、実際にそれが何を指しているのか、ディレクションのことなのか、モチーフのことなのか、カラーマーケティングのことなのか、あるいは失敗しないデザインのための防衛手段の一つとして、ただなんとなく言っているのか……、限りなくグレーゾーンという方は多いのではありませんか。

デザインマーケティングとは、本来その業種の中での差別化のために、他社より秀でた部分をより印象的に魅せるために気持ちを注力すべきものなのに、です。

マーケティングや経営戦略では「差別化」という

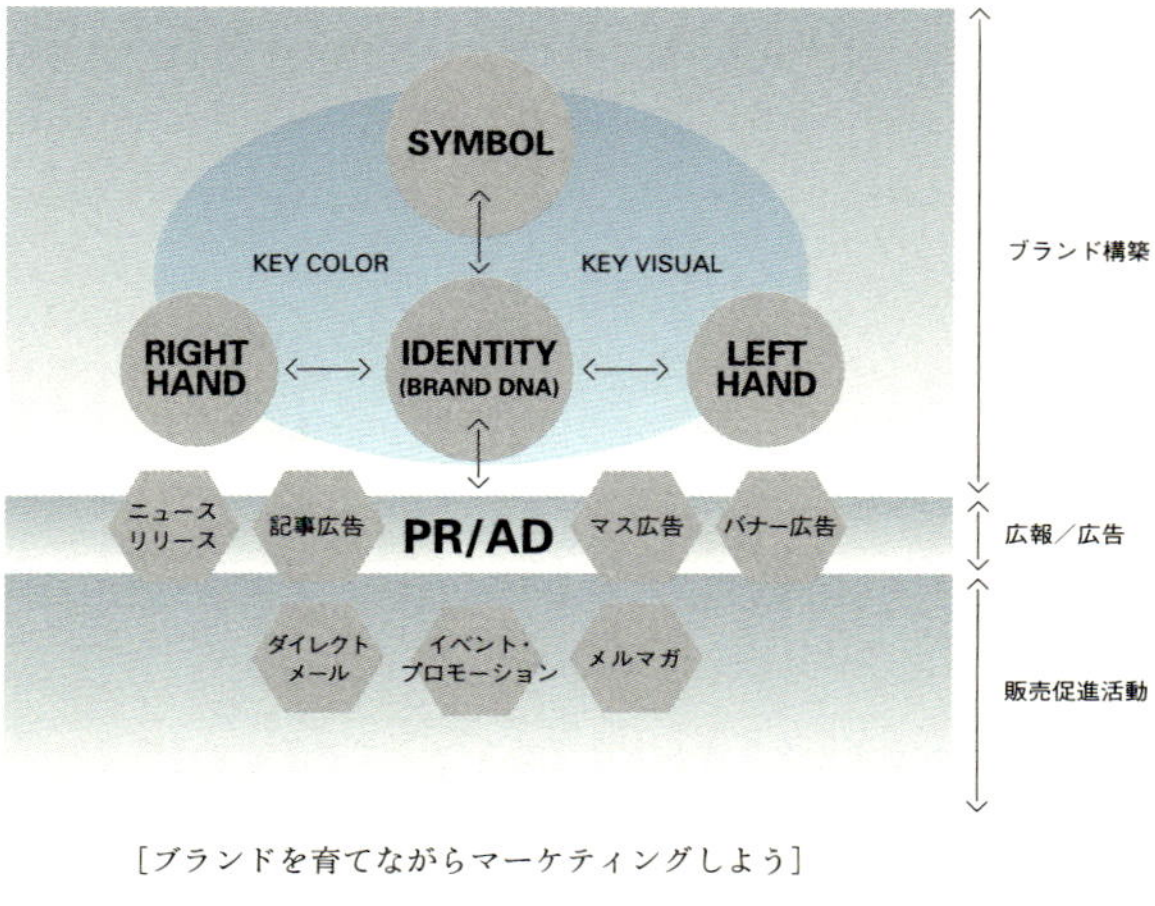

[ブランドを育てながらマーケティングしよう]

言葉が常に声高々と語られているにも関わらず、デザイン業界では、まだまだ「誰かに似ていれば安心」という、間違った認識が根強く残っています。

本来、最も間違えられてはいけない対象は同業者であり、ビジネスのライバルなのです。しかも、業界内のジャンルや特性は外部の人間からはほとんど区別ができません。そもそも「不動産業界っぽいデザイン」で行き着くゴールは、「不動産っぽい」というところでしかありません。このケースで言えば発注者の所属する業界の中のポジションを明確にすることが求められているはずなのです。つまりそのポジションが、トップランナーなのか、それともオンリーワンなのか、または超地域密着のビジネスを展開しているのか。発注者が差別化をしなくてはならない時に、わざわざ同業者色に染まりにいく必要はないのです。

検索エンジン対策でせっかく上位に入っても、好感を持ってもらい関心を引かなければ意味がありません。今どきの見込客は、上位だからといって安心したり、非常に信用できる業者だという印象を持っておらず、企業のメッセージやサイトのデザインから、きちんとしていそうかとか、どんな人が働いているのだろうとか、必死に読み取ろうとしているのです。

この、間違えられてはいけない対象がクリアになると、取るべきポジショニング戦略、すなわち可視化（ビジュアル化）への対策がかなりはっきりとしてきます。

ポジショニングをきちんと取るということは？

ではデザインのマーケティングにおいてポジショニングをきちんと取る、とはどういうことでしょう。

ポジションとは「場所」を意味します。すなわち、デザインをすることで、あなたの立ち位置を公（おおやけ＝パブリック）にする、という意味なのです。立ち位置とは、今現在のあなたの指針や思想でもあります。ですから、デザインをきちんとしている企業は、べつにどこかにキャッチコピーを書いておかなくても「デザインにきちんとこだわっている企業です」ということを伝えることができるのです。

では、デザインでポジショニングを「きちんと取る」とはどういうことでしょう？　一生懸命やれば、デザインでポジションを取れますか？　それとも、有名デザイナーに作家性の高い作品を頼めばいいのでしょうか？

答えは、そのどちらも「ノー」です。

これは、「デザインにきちんとこだわっている企業」でも、頻繁におかしてしまう間違いなのですが「気合いを入れてデザインに取り組むあまり、一度にいろいろとやろうとしすぎる」ことがあります。「いろいろしすぎる」ということは、ポジションを定めない、定められないということになります。つまりそれは、狙った印象を作れず視覚戦略の軸がないため、コンセプトがぶれたままなんとなく「視覚情報を垂れ流している」にすぎないのです。

ブランドとはそもそも経営戦略の話であり、デザインや広告ではブランドは作れないということをよく耳にします。私は、これは若干言葉が足りないと思っています。それは極端にいうと次のようになります。

●経営戦略がよくできている企業（あるいはサービス）

←

●強みがはっきりしている（差別化）

←

●クリエイティブのコンセプトを立てやすい

←

●デザインの発注もはっきりとする

←

●デザインの提案もはっきりとする（クリエイターは、デザインや表現がしやすい）

←

●デザインがマーケティング戦略になる（ポジショニング）

ですから、デザイン戦略がよくできている企業というのは、はっきり言ってしまえば発注している側の優秀さであることが多いのです。なるほど、と思われた方のために正反対の例も示しておきます。二つの工程しか書きませんが、過去にこのような例に遭遇した方もいらっしゃるのではないでしょうか。

●デザインの発注がはっきりしない（ゴールが見えないままデザインをスタート）

↓

●戦略やマーケティングのない、クリエイターの感性に頼ったデザインの提案（になりがち）

情報化時代に適したデザインマーケティングの手法とは？

私は日頃から「統計データからデザイン案を決めることをお勧めしない」立場を取っており、セミナーや勉強会でも、次のような表を使ってデザインとマーケティング環境の周縁の変化について説明しています。その中で特に強調していることは、デザイン決定における背景が大きく変化し、デザインのするべき仕事の範囲もより広範囲になっていくだろうということです。

これは具体的には、「以前赤いバックが売れた。すなわちまた赤いバックが売れる」ということは、必ずしも起こることではないということです。

確かにマス媒体が主流だった時には、その媒体効果を測定することは非常に重要であったと思います。新聞には新聞の、雑誌には雑誌向けの明らかな広告効果と、明らかに推定できるターゲット層が確立されていたからだと思います。ところが、今日のような特定の媒体を経由しなくとも情報が拡散していく可能性に満ちた情報化時代においては、むしろメディアニュートラルな施策が有効であり、逆にそんな媒体にも連動可能な視覚戦略を持つことが、パフォーマンス向上の鍵を握っていると言えます。

この、メディアニュートラルという時代の変化を考えると、昨日のユーザーが、必ずしも明日のユーザーではない状況を常に考えなくてはなりません。ターゲット像をシビアにモニタリングしたり、既存メディアに最適化したところで、

	マーケティング	デザイン
4大メディア時代	リサーチ、アンケート、統計、データベース	多数決、鶴のひと声、知名度
メディアニュートラル	心理学、脳科学、感情経済学、人間行動学	潜在意識、問題解決、未来想定

またすぐに新しいサービスや端末といった「次世代メディア」の波に押し寄せられる脅威を感じていなくてはなりません。

デザインに「理由」は必要です。しかし、データベースですべてを計り切れるものではありません。色を決めるのにも、同系色の中からテストマーケティングを行い、データを見て決定する企業もあるようですが、デザインは本来、未来への投資です。ですから、過去分析だけにとらわれることなく、現在地点では予測不可能な効能があるということを理解した上で、データベースは参考程度に留めておいたほうがいいのです。

偉大なデザイナーとして有名なポール・ランド氏は、著書『ポール・ランド、デザインの授業』(ビー・エヌ・エヌ新社)の中で「デザインとはコンテンツとの関係性である」ということを強く訴えています。これは、すべてのデザインには意味があるということを彼の弟子たちに噛み砕いて伝えるために、師が残した名言であると思います。またランド氏が、デザインは現在形で終わるものでなく、未来へつながっている知性であり資産だということを制作者の立場として実によく理解していたのではないでしょうか。

デザインともの(コンテンツ)に意味があれば、存在そのものをカテゴリーとして認識できる(させることができる)ということになります。そうすると、ものとデザイン、そして人を確実に関連付けできます。ランド氏をはじめ、多くの優秀なデザイナーがデザインの意味を説いてきたのは、予測しづらい未来に対してデザインの確実な効果を確信していたからであり、これは人間の本能、すなわち潜在意識に訴えかけるマーケティング戦略だからなのです。デザインがマーケティングだとは言わなかっただけで、効果については実感していたのです。

すべてのデザインには、出発点がありゴールがあります。例えば、あなたという人がいて、私という人間がいるとします。もしもゴールがビジネスパートナーであればそういう関係をデザインすることができます。逆に、行き当りばったりというのはデザインされていない関係と言えます。デザインとは、つなぎ方や関わり方のことでもあるのです。

そして更に付け加えると、ゴールはデザイナーが勝手に決めてしまうものではありません。例えば、偶然や驚きに満ちた旅になることはあったとしても、最終的にはきちんと目的地に送り届ける、すなわちゴールをはずさないということがプロの仕事なのです。

Part 1

2

はずれないデザイン戦略を探せ！

デザイン戦略の「方位（direction）」を決める

「すみません、シンプルでおしゃれでリッチ感があって環境にやさしいイメージでユーザビリティに優れていて、売れるサイトのデザインを作りたいのですが」

目標を高く持つ、というのはとても重要なことだと思います。けれど、ゴールがどこか分からないようなオーダーは混乱を招きます。ここでは、デザイン戦略立案の最初のステップとして、デザインの方向性を決める理由とその方法について述べていきます。

マークよりトンマナが重要？

アメリカの著名なマーケティング戦略家の著書『ブランディング22の法則』（アル・ライズ、ローラ・ライズ著、片平秀貴監訳／東急エージェンシー出版部）の中に、このような記述があります。

ロゴタイプに使う精巧なシンボルを創るために多大な努力が傾注されている。紋章や盾型などのシンボルがアメリカのデザイン会社から大量に作り出されている。こうした努力は大半が徒労である。ブランド名の力は頭の中に入り込んだその言葉の意味にある。多くのブランドの場合シンボルは人々の頭の中でこうした意味を作り出すことにほとんど、ないしまったく関係を持たない。

この記述のとおり、今この時点からスタートして、印象的でオンリーワンのシンボルを作り上げるというのは、かなり難易度が高いということを肝に命じておくべきでしょう。たとえ制作に費用や時間をかけたとしても、相当数の露出や時間の経緯を計算に入れた上でなければ、「シンボル」だけで効果を実感できるまでに至らないかもしれません。

シンボルマークやアイコンというものは、実際のところこれからも多用されるに違いありません。ですから実際にそれを評価する側の視覚力、すなわち見る力に配慮をすべきなのです。そもそも人は詳細ではなく、基本的に「周辺環境も含めた全体像」、言い換えれば「醸し出す雰囲気や世界観」でものを判断しています。

ですから、デザイン経験が豊富でデザイン思考の備わった人以外、その真の価値を評価できない可能性が非常に高いのです。

もちろんよいシンボルマークを作れるのであれば、あったほうがいいに決まっています。けれども、莫大な時間やコストをかけた上でさほどよいものが作れそうもない時に、予算や時間を切り詰めてブランディングを押し進めていくのであれば、シンボルマークだけに固執するのは賢い方法とは言えません。

最も大切なものは「アイデンティティ」であり、それをビジュアルで表現するためにどんなトンマナを使っていくかという戦略の部分なのです。そして、そのトンマナを間違いなく使っていくために、まず右か左か北か南かといった方向性、すなわちデザインのディレクションについて「決定」する必要があります。

どっちを向いて歩く?

以前、ポータルサイトのコラムで「一回目のデートでプロポーズは無理」という内容の記事を書いたことがあります。日常のデザインのアドバイスでも「デザインであれもこれもと欲張るのはお勧めできません」とお伝えしています。

理由は簡単で、一番大切なことを伝えるために大きな方向付けをしておくと、詳細な情報はその大きなカテゴリーの下にスムーズに蓄積されやすくなっていきます。ところが、最初から細かいこと、特に概要から詳細までを一度に伝えようとすると聞き手としては情報の関連性を付けづらくなります。更に、そういった大きな方向付けがないままあれもこれもと欲張って、いろいろなことを一度に言おうとすると、情報の優劣としてはあまりどうでもいいようなこと、なんとなくレイアウトがバラバラだったとか、印刷のインクが滲んでいたとか、そんな印象だけが残るということも大いにありえるのです。こういった場合、下手をしたら何も伝わらないということも覚悟をしておかなければなりません。

例えば、自分の生まれ故郷の話題になったとして、北国生まれなのか南国生まれなのかという、大きめのカテゴリーから伝えておくと、聞き手のそもそも持っている情報を活かすことができるために、情報のインプットがスムーズに行われやすいのです。言い方は大げさですが、こういうところからしっかり「印象付け」を行っておくと細部情報はより説得力を増します。北国生まれ南国生まれがあてはまらないという人も、せっかちな人と落ち着いている人、派手な人と地味な人、などの大きな差別化から始めていくとよいでしょう。

一番いけないのは目指す印象も、自分の自覚もないことです。何だか分からない、と思われているうちは、第二情報も、第三情報も、

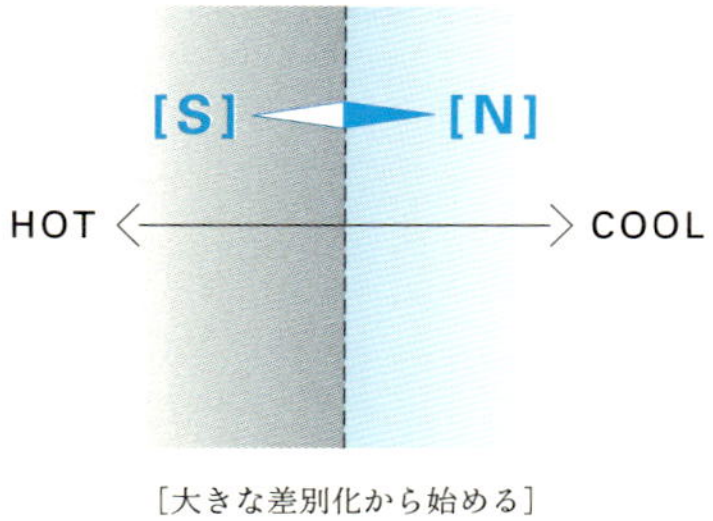

［大きな差別化から始める］

そして詳細情報も永遠に伝わってはいきません。

つまり、自分が最も大切にしていることをファーストインプレッションとして記憶してもらわなければならないのです。大量の情報が流れ、瞬時に新しいサービスや商品がリリースされる今日の社会において、「最初の出逢い」がますます重要になっていくことは言うまでもありません。

第一印象に二度目がないなどとはよく言われることです。人が持っている記憶を私たちは変えることができません。一度付いてしまったイメージを取り払うには、ピンク色に染めてしまった髪を茶色に染め直すのと同じように、まずは最初のイメージを消すところから始めなければなりません。言葉の記憶と違い、視覚の記憶の多くは感情とセットになっています。特に、最初の出逢いにはもともと言語情報が少なくてあたりまえですから、感情的な印象を伴って記憶されることが多いと言えます。

例えば、異性との出逢いをイメージしてみてください。初対面で、初めましてという挨拶が交わされる時、ビジュアルイメージと一緒に脳裏をよぎるものはなんですか?「美人だな」とか「イケメンだな」とか「清潔感があってステキ」とか「愛嬌があって可愛い」といった感想を伴った「印象」ではありませんか。つまり、あなたの会社のホームページもサービスのロゴもそんな風に見られているわけです。商売っ気満々なのに「おとなしそうな企業ね」と誤解されたり、最先端のテクノロジーを担っているのに「古くさいわね」と頭の中でつぶやかれたら、たまりませんよね。

技術力をきちんと魅せる

「技術力を魅せたいんですが……」

日本の企業の販促をやっていると、こういったオーダーは非常に多いです。オーダーが多いということは、絶対数が多いということなのでライバルが多いということにもなります。そしてそれは、技術力の可視化はもともと難易度が高い、ということにもなるのです。

自分たちの技術と同レベルでデザインが実装できていない、技術力のある企業だということをデザインで魅せたいとご相談にみえる企業は、今現在でも非常に多いです。

やはり、今まで「中身を取るか？　外見を取るか？」「いえ、うちは中身で勝負です」という方針を貫いてこられたのでしょう。こういった方たちのほとんどの不安は、デザインが分からない、というところからきているようです。そのため、ポジショニングマップを作ったり、ロジカルなツリーを確認してもらうようにお願いして

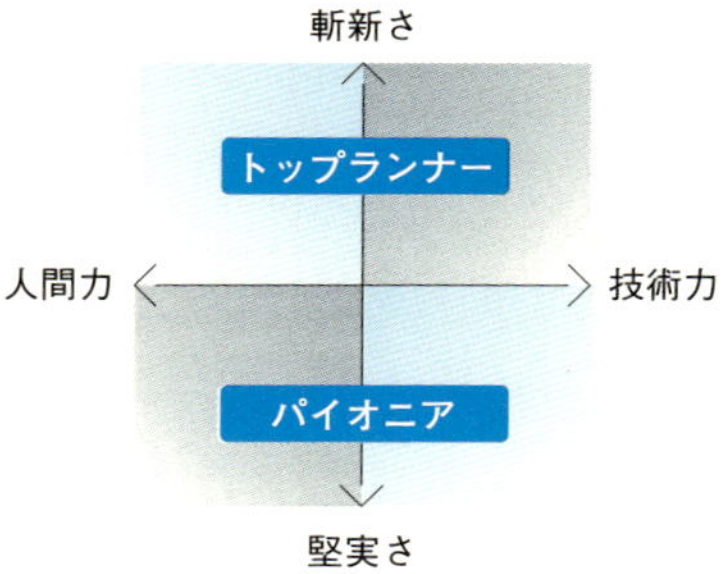

［技術力の差別化にもいろいろある］

●企業がトップランナー（先駆者）的な特徴を持っていたら、デザインにも旬のテイストや、トレンド感を折り込む

●逆にパイオニア（創立者）的な特徴を持っているのであれば、威厳や権威的なイメージを盛り込む。私立大学のエンブレムなどは顕著な例

そもそも人が持っているイメージを、簡単には変えられない

います。デザイナーであれ、非デザイナーであれ、双方の思いを伝え合うために「マップ」を作って確認をすることでリスクは最小になりパフォーマンスは最大になります。

下の図を見ていただきたいのですが、一口に技術に秀でているといっても、様々なケースが考えられます。もしも、業界の中で先駆けた存在であり、いわばトップを走るような企業であれば、ビジュアルにはスピード感や旬のモチーフが必要です。「リアルタイム感」が必要だからです。同じように先駆けた存在であっても、パイオニア的存在、業界の「ドン」的なイメージがあるのであれば、レイアウトやタイポグラフィーには「バランス」のよさが必要です。安定感や堅実さを醸し出す必要があるからです。

最終的に自由で独創的なクリエイティブで勝負するためにも、差別化のための二軸を制作の準備段階できちんとまとめておきましょう。クリエイティブな作業には、時に壁にぶち当たったり二方向の選択で頭を悩ませることが必ずと言っていいほど、発生するもので

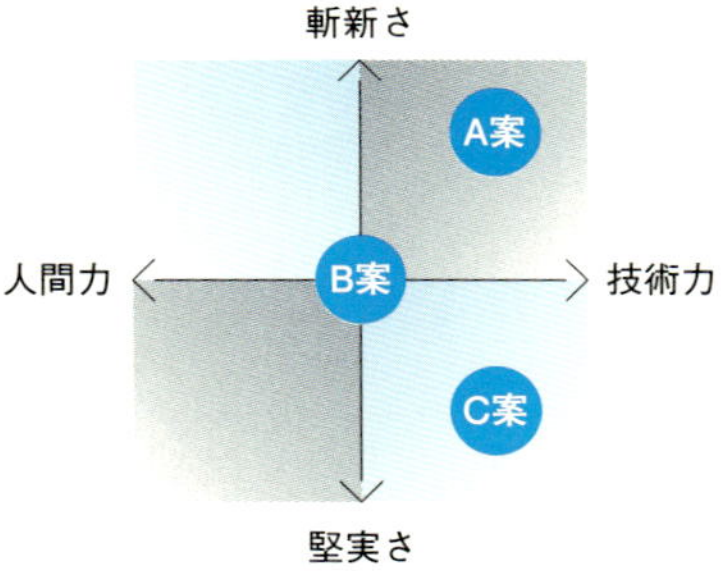

[デザイン戦略には
企業の未来を折り込む]

A 案：技術力で業界の先端を駆け抜ける
B 案：技術と人で今までも、これからも
C 案：技術力に自信、業界のパイオニア

す。しかし、このように方向付やポジションを踏まえた上ならば、思い切って暴れても表現上のブレイクスルーとなったり、斬新な表現でありながら市場ともマッチするという目的が果たせるのです。

高い専門性や能力を魅せる

「パーソナルブランディング」という言葉は、日常的に耳にするようになりました。いわゆる専門家はもちろん、企業に所属する会社員の方でもブランディングをきちんとしたいと考え始めている人は多いようです。

逆に、デザインのことをレイアウトや広告販促物と同じものだと認識をしている方は多く、一枚のチラシのレイアウトを基点としたその認識のために、差別化や品質やクオリティといったクラス提案などの多くのチャンスを失っていることは非常に残念です。

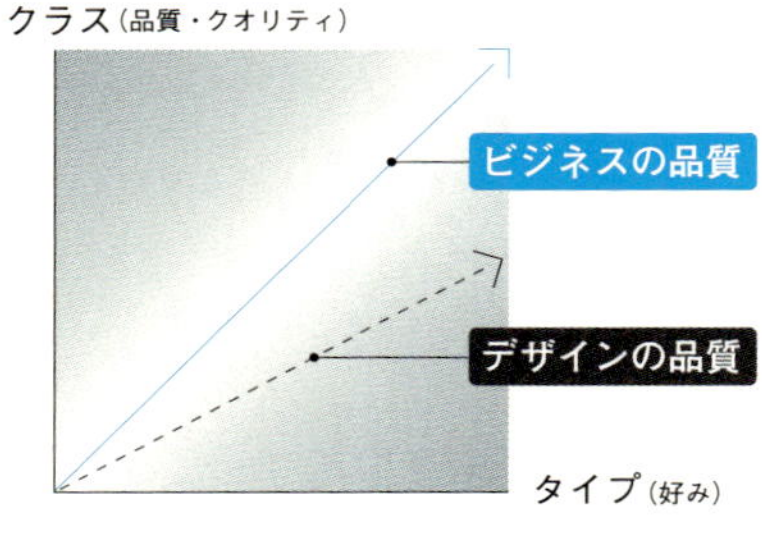

［デザインが追いつかないケース］

●自社のサービスや品質と同等のデザインを実装できている企業は少ない

例えば、物理的に今すぐ必要なものは、名刺やチラシなどのツールにすぎないかもしれません。けれどもデザイン戦略という考え方をもってすれば、自社の強みを潜在意識レベルで視覚に訴える初めの一歩になります。実際には、これをきちんと行えていない企業が少なくはないのですが、まずは自社（あるいは自分）の専門性や能力のポジションを確認して、デザインもそれに見合う実装をしてください。

見る側の人の無意識というものは、そもそも残酷なほどに正直です。デザインのダメさは、知らず知らずのうちにあなたの信頼に「素人くささ」や「うさんくささ」という色の恐ろしいフィルターを掛けていることを、是非認識していただきたいのです。今や、ビジネスとしてよいものはデザインもいいに違いない、という時代なのです。

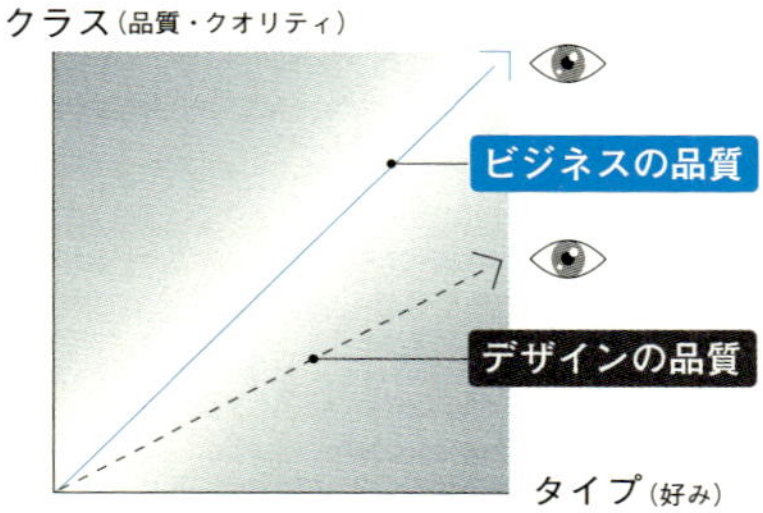

［レベルの同化］

●自社のサービスや技術力があっても、レベルが合っていないとパッケージやデザインの品質がよく見えない

センスを魅せる

センスをよくしたい、というオーダーは実に微妙です。センスの善し悪しは、ほぼマッチングの問題と言っても過言ではありません。つまり、送り手側と受け手側が同じ気持ちで「センスがよい」と感じることができるかどうかにかかっているのです。そして、センスの正体を突き止めるために、現在の主流派、いわゆるメジャー感のあるデザイン、そして少数派、つまりニッチといわれるデザインにはどのようなものがあるかをまずは確認し、それぞれの位置関係を理解します。

デザイン志向やデザイン至上主義の概念で言えば、「デザイナーが判断した美しさを、受け手側も理解しろ」ということになりますが、マーケット志向の概念で言えば、「顧客が理解・判断に苦しまず、喜んで受け入れられるデザインをプロの品質をもって提供する」ということになります。

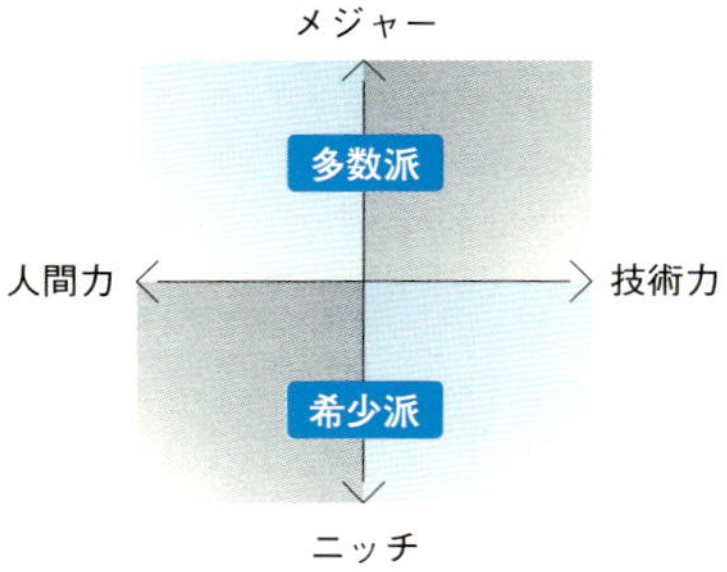

［大きな差別化で主流を確認］

- 「センスのよさ」を判断する人は、どのような群（志向）なのかに注目する
- アプローチをする相手がメジャー感を好むのであれば、「創意工夫をこらした、オリジナリティに溢れる希少性のあるデザイン」は不快と取られる場合もある
- もともと、少数派のものを好む傾向があれば、「変わっているもの」「不思議なもの」「見たことのないもの」をセンスがいいとする

いわゆる、スモールサイズのビジネスで技術革新に頼っているサービス業などは、このニッチさを全面に押し出して差別化を計っているものも多く見られますが、デザイン戦略で言うとその真逆のパターン、すなわちメジャー感を出す（大手のトンマナを感じさせる）ことが一顧客に安心感を与えたり、ストレスを取り除く場合も大いにありえます。小さいビジネスが醸し出す手作り感を抜いていくだけで「センスよくなったね」と言われたりするのはそのせいです。

その逆にメジャー企業は、斬新さを出したければメジャー感に何かをプラスするか、少し弱めることで飛躍的にセンスアップします。

つまり、「センスのよさ」とは、自分の今の立ち位置から勇気を持って一歩を踏み出すことが、一つの大きなコツと言っても間違いありません。そして、勇気を持てる人の数はいつの時代も少ないので、なかなかセンスよくなれずにいるのです。

もし今現在、「センスいいね」と言われていない企業（人）なら

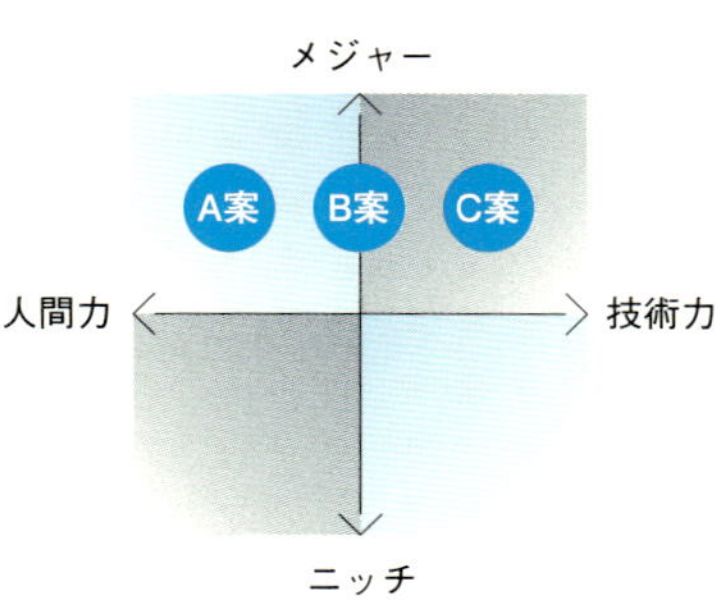

［ニッチがメジャー感を醸し出すことでセンスアップ］

A案：オシャレで品質のいいモデル写真案
B案：風景、インテリア、あえてモノクロ写真などの案
C案：奇麗な色使い、シンプルな色使いを活かした、凝りすぎていないグラフィック案

なおさらのこと、センスよく魅せるために、「ターゲット」に気持ちを寄せることです。そして、これから未知の冒険の旅に出発するぞ、と自分自身に強く言い聞かせてください。もちろん、突拍子もないことをしろという意味ではなく、事業背景という現在地からターゲットに大きく一歩近付くための戦略として導入するのです。

デザイン戦略の「角度（reach）」を決める

いわゆる4マス（4大マスメディア）時代において、ターゲットマーケティングとは、ほぼマスマーケティングのことであったと言っても過言ではないでしょう。ターゲットを広く取るということは、皆が知っているメジャーなタレントを起用することや、誰もが口ずさめるポップスソングを採用することで実現できました。しかし時代は変わり、ニッチに向けてマーケティングをしなくてはならない時代がやってきました。よりパーソナルに、より効率よく。狙いすましたマーケティングを実現するために、デザイン戦略の「角度（reach）」について注目をしてみましょう。

ターゲットの角度とは？　ターゲットの深さとは？

先日、地方のあるネット勉強会に呼ばれて、視覚マーケティングのセミナーの講演をさせていただいた時のことです。質問タイムではどうも恥ずかしかったのか、会場の撤収がもう始まろうというタイミングで、若い女性に声を掛けられました。

「ちょっと、ご質問よろしいでしょうか」

「はい？」

「ウェブサイトをリニューアルしたいのですが、ターゲットは一人に絞ったほうがよいのでしょうか？」

この質問をされた方はお姉さんと二人でサイトのリニューアルを相談していて、「もう、ターゲットを一人に絞ることに決めよう。そしてターゲットは、料理研究家の栗原はるみさんを想定して、彼女に買ってもらえるサイトデザインにしよう！」と、決めたのだそうです。

たった一人の人間を想定し、その人の生活や行動に根ざしたデザインを設計するという手法については、確かに「ある」やり方ではないかと思います。いわゆる人間中心のデザインの考え方に由来しているデザイン手法を、ウェブサイトの設計の参考にしているのかなと思いました。

「たった一人にターゲットを絞ることは、いいことなのでしょうか？」

ご質問をされた女性は、ちょっと心細いようで更にこう続けます。

「たった一人に絞ってしまってよいのでしょうか？」

確かに、商品の設計や規格の設定をする時に、そのようなシミュレーションから結果を導き出すデザインの手法は有名ですし、一般の方が真似をしてみたいという気持ちは分かるのですが……。何かがちょっとずれているような気がしたので、こうたずねてみました。

「そのサイトで本当にたった一人の人に買ってもらいたいのでしょうか？」

「……」

「本来は多くの人に商品を買ってもらいたいのではありませんか」

ある傾向に特化して差別化や競争力を持ちたいということと、多くの人に売りたいということは同時に実現できる戦略です。自社の強みをきちんと差別化して沢山の人にサイトに訪れてもらうためのデザインの方向性や種類を考える時、ターゲットの幅（これをターゲットリーチ＝ターゲットの角度と私は呼んでいます）を意識的に絞ったり、そのターゲットとのつながりを深くする、すなわち密度のある関係性を作るように配慮をしていくことは可能です。

つまり、発注者にそのマーケット自体が見えているかということが非常に重要になってきます。

「栗原はるみさん像」にかぶるマーケットが、非常にニッチである

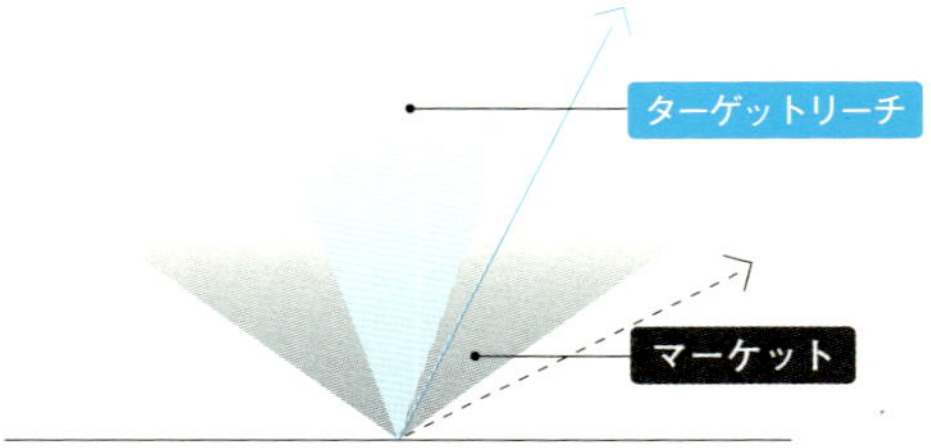

［ターゲットの角度（リーチ）を決める］

と感じ、あえて特定の人に向けてデザインの戦略を立てたいというなら、当然ターゲットの角度は鋭角になります。それとは逆に、手作りのおいしい料理を、レンジや作りおきを活かして効率よくさっと仕上げる主婦が膨大にいる、またそういうブームがくる、と踏むならば、より幅広いターゲットを想定しなければならないのです。

ターゲットを広く取る

ターゲットを広く取るマーケティングというと、どうもつまらないデザインを想像される方がいるようなのですが、実際にはその逆です。アップル社、グーグル社などはデザインを経営に活かし飛躍したイノベーターであり、そのデザインは広い対象に向けてマーケティングされています。あなたの目にはアップル社のデザインが、クリエイティビティのないつまらないものとして映っているでしょうか。

デザイン制作のプロセスに「マーケティング」を導入することと、デザインのクリエイティビティを上げることはそもそも同方向です。逆に、現在の社会においてデザイン導入にあたり、もしあなたが

「マーケティングの視点」を取り入れないならば、創造の楽しさや自由を奪われるかもしれません。デザインにおけるマーケティングとは、クライアントと製品（あるいは企業・ヒト・サービス）を発想段階において共通の認識でつなぎ、喜びや楽しみへと導くツールだからです。コスト削減と効率化重視の時代で、誰も失敗したくないし、リスクを追いたくはありません。これは、デザイン導入でも同じことなのです。

一般的に、非デザイナーであれば、デザインについて見ているポイントは驚く程限られています。大まかな印象、そのデザインカラーやグラフィック、それ以上のポイントをもしも対象者が見てくれるとしたら、それはかなりの熱心なターゲットでしょう。そもそも関心がない人に対してのアプローチには、あらかじめ計算された視点誘導を設定してあげるべきでしょう。

より多くの人をターゲットに想定したいのであれば、共通認識としての望むべき感情表現を決定して、きちんと、そしてずっと実行

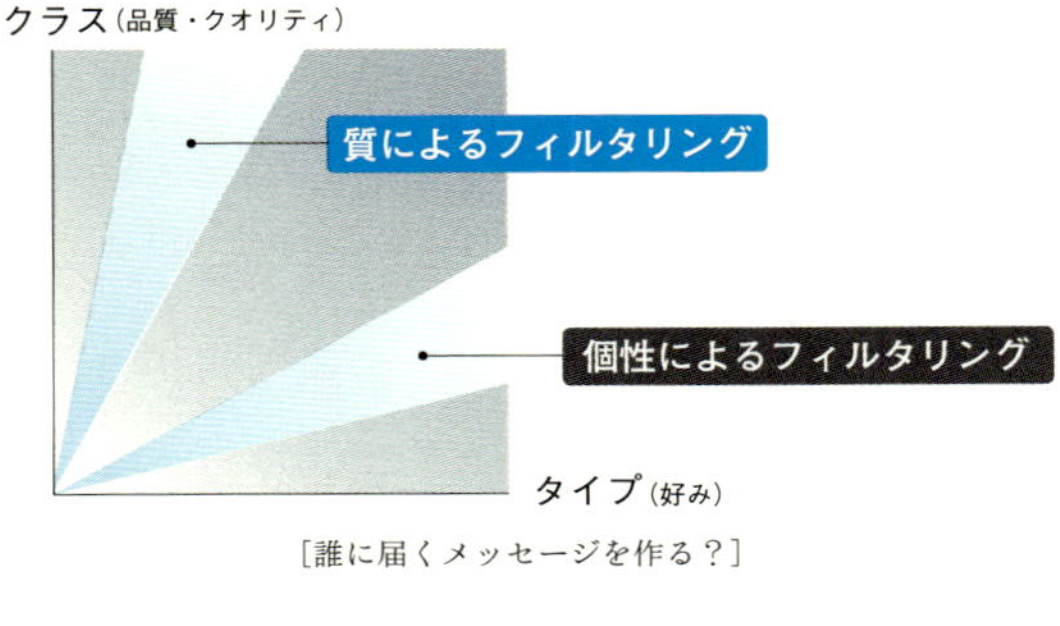

［誰に届くメッセージを作る？］

することです。アップル社の場合だと、「素敵」「カッコいい」「オシャレ」などがそれにあたり、グーグル社の場合であれば「楽しい」「可愛い」などになるでしょう。

あらかじめ望むべき「雰囲気」を分かりやすく決め、そしてその雰囲気がどれだけの人に理解可能であるかということが、デザイン戦略におけるターゲティングの鍵なのです。

つまり「楽しいですよ」「カッコいいですよ」という雰囲気を大きく見せて、まずは潜在意識レベルでパーミッション（許可）してもらい、次にポイントに引き付けて「見る」「興味を持つ」という第二ステップのへ誘導ができなければ、その先はないと言っても過言ではありません。

ここで、間違えてはいけないことは、「大まかな印象で引き付ける」とは大雑把なデザインをすればよいという話ではありません。むしろ、その逆と言えます。デザインの細部を極端なほどに精巧にしていくということは、大まかな雰囲気に強い「存在感」や「らしさ」を生むエネルギーとなります。つまり、細部までこだわったデザインであればあるほど、強烈な印象だったり、ものすごく柔らかな印象だったりして、多くの人に受け入れられるきっかけになりやすいのです。

私自身は、「ありえないくらい、ダサイ」という出発点は、もう考えないことにしてしまってもいいのではないかと思います。多くの人が感じる「なんとなく」は、「明らかに有効」であることは、様々な事例や解析をもって日に日に解明されています。すべての人が、しかるべきレベル以上のデザイン（デザインのタイプはいろいろであってもちろん構わないのですが）を使える社会こそが「先進国」というイメージを持たれていくのではないかと思います。

ターゲットを深く、狭く取る

非デザイナーの方は、マニュアルとテンプレートとノウハウがあれば、デザイナーと同じレベルのロゴはすぐにできるという風に考えがちです。「すばらしい」と思ったロゴデザインやグラフィックが非常にシンプルな構造だったり、できあがったもの自体の印象というのは、往々にして簡単そうに思えるものなのです。世の中のメジャーなデザインを見れば見るほど、作るのは簡単そうに見えるかもしれません。

ところが実際にデザインの経験がない人が、いざデザインをやっていくとなると、なかなかこれが難しい。やはりどうしても越えられない壁があります。完成品はいかにも簡単そうでかつバランスもいいのだけれど、自分が作っているものはバランスが悪い。結局のところ、できそうだと思っていたもの（理想）と実際にできたもの（現実）に大きなギャップを感じてしまうのです。

そして、そこでつまずくと「デザインはつまらないもの」になってしまうこともしばしばあります。ですから、私が行う非デザイナー向けのデザイン勉強会やデザインセミナーであれば、必ず大きな印象をきっちりと固めることから入り、体力と気力の続く限りという条件付きで、詳細部分に手を入れるように指導しています。

これは、見えているものと作っているものの整合性に重点を置いているためです。

本職のデザイナーであれば、デザイン上の細かい作り込みが全体に響くということを体験的に理解しているので、余計に細部にこだわるという人が多いように思います。私が若いデザイナーによく注意をするのは、詳細にこだわるあまり、無意識にコンセプトと違う方向に向かってしまうことです。これをもって、「クリエイティブ」と言う人もいるようですが、それは少なくとも「マーケティング」ではありません。

もちろん、これがうまい具合にいけば、細部の調和が全体の雰囲気を醸し出す、すばらしいデザインになります。

それが、まさに詳細から全体の雰囲気や世界観を見せるというテクニックです。

詳細から全体を見せていくプロセスの上で、ターゲットを深く、角度を鋭く取るためにデザインのクオリティを上げていくことを多くのデザイナーは「デザインで尖らせる」などと言います。デザイナー協会とか、たくさんのデザイナー同士でこういったことを確認し合ったことはないので、違う表現をする人もいるかもしれませんが、手を動かしていく時の感覚はまさにこのような感覚なので、たぶん間違いはないでしょう。

「デザインで尖る」という言葉の裏側には、対象になる種類の人びとを、行動パターンでセグメントしたり、住んでいる場所や思考、タグやクラスタなどの今どきの形に種別するという意味があり、結果としてターゲット層を更に狭める可能性があります。つまり「もう、解らんやつには解らんでいい」というような感じでしょうか。

先ほどの「栗原はるみさん、一人に買ってもらう」というターゲット戦略ですが、「一人に絞っていいのでしょうか」という質問自体がやや混乱しているのではないかと思います。

実際には、多くの人をターゲットにもできるし、非常に狭くセグメントされた人だけに向けてのアプローチもありうるのです。

つまり、最も重要なことは、「あなたがどうしたいか」ということなのです。

デザイン戦略の「クラス（class）」を決める

デザインをマーケティングに使うということは、いわゆる「値決め」メソッドではありません。これは、どういうことかというと、「ものは高く売ればいい」とか「安く、大量に売りましょう」などという値段設定にまつわる戦略とは明らかに種類が違うということです。人がものを見て、何かを感じるということの知覚を理解することで、ものと価値との自己同一性を高めるメソッドと言っても過言ではないかもしれません。

ものの価値を上げるマーケティングとは？

一般的に、ものの値段を決めるという行程においては、その時々の時代背景もありますし、マーケットのトレンドも影響します。消費者の気分もあります。そして何よりも、小さいマーケットであれ大きなマーケットであれ、売り主は確実に利益を生み続けなければなりません。そして、そもそも「需要」と「供給」というバランスのもとに根付いているものです。

ところが、これを消費者目線でなく、売り主の都合で適正価格を決めなくてはいけないことも多々あります。そして、売り主にとっての適正価格が買い手にとっても適正価格にならなければいけないのです。

値段が適正に見えるということは、消費者の購買の動機付けとしてはとても大切です。よく、女性は気分でものを買う、などと言われますが本当にそうでしょうか。あなたの身近な女性で、「倹約！」と言っていたかと思えば、突然衝動買いで高いブランド品を買ってしまう、思い立ったら吉日とばかりに気まぐれに購買しているように見える女性はいませんか？　ところが、実際のところ当の本人はこうした買い物のほとんどについて、「私はこれを買っても、損はしていない」「適正な買い物をしている」と思っているのです。

更に、決意をして購入してしまったら、今度はそのものの価値とずっと向き合うことになるはずです。値段設定にはいろいろな事情があるにせよ、購買者にとって「適正価格に見える」ために「見え方」を計算しておくということはとても大切なのです。つまり、購買という行為において最終的に人と最も関わりが深いのは、購買理由でもなく、購買方法でもなく、購買後の満足度です。高いものであれ、安いものであれ、「買ってよかった」「得した」「もとを取った」と思ってもらうために、デザイン戦略は設定した価格とターゲットをよく見極めて、狙いを定めたクラス感にフィットさせておくことが重要です。

既存の商品よりも価格を上げる

昨年の秋になりますが、東京近郊で人気のある美容室チェーンのマーケティングマネージャーからこんなメールが届きました。都心部に新店舗を出店するにあたって、デザイン戦略を導入したいという依頼でした。

この美容室のケースでは、売りもの（カット、パーマ、トリートメント）の内容は、旧店舗と新店舗で極端に変わりません。もともと、こちらの美容室では、オリジナルの商品を自社開発し、良質で競争力のあるビジネスを安価で提供していました。地元では、かなり評判の人気店。ビジネスも順調だったので、規模拡大のための新店舗の出店です。

今回、新規出店する地域は女性人口も多く、今までの立地よりはかなりファッショナブル。地代も決して安くはありません。逆に、現状の若いＯＬという層よりも、ラグジュアリーな客層が狙えることも確かです。

いずれにせよ、ビルの家賃や年齢層に合わせたサービスを提供するために、オリジナルヘアケア商品メニューやスタッフの構成、サービスメニュー価格や商品構成の見直しを迫られました。理由は何にせよ、もう確実に値上げせざるをえない状況だったのです。

こういった、いわゆるやむをえず単価を上げていくケースについて、『視覚マーケティングのススメ』（クロスメディア・パブリッシング）という自著で私は以下のように書き記しています。

価格を上げたければ、すでにある違う別の市場にアプローチをかけていくことです。

今回の場合は、まさにこのケースがあてはまります。これは、今までとは異なる市場に向けて、ターゲットへのデザインの最適化を行うということです。すなわち、ものの価値として対象にふさわしいデザインを施さないといけないということです。その価値と相応な存在感をものに与えるために、デザインをマーケティングと捉えて使いましょう、ということなのです。

実のところ、この「ものの価値として対象にふさわしい……」というところがデザイン戦略の要なのですが、これは対象となる市場やターゲットの価値観を計り知る、という作業に匹敵します。送り手側の勝手な思い込みや好きとか嫌いということではなく、相手が感じたり望んだりするところの「価値感」そのものを視覚化して、要素として盛り込まなければならないのです。

今回は、フル媒体ではなくてキービジュアルとロゴ、コピーのみの担当だったのですが、価値観の視覚化のために、異なる方向性のイメージ写真とロゴ（フォント）を変えたサンプル案を作り、実際に印象や雰囲気を見比べてその立ち位置に探りを入れていきます。

この段階で、はっきり分かったことは、現状の展開よりクラスを上げなければならないということでした。

この時は、オリジナルの撮影をする準備ができなかったために、イメージ写真を使うことになりました。実はこの「写真選び」、言い換えれば「写真のクラス感選び」が顧客を選んでしまうことになります。

つまり、対象に見合ったクラス感の写真を選ばなければ、このお店はサービスの単価を上げることができません。それは客単価も上がらないことを意味します。この写真選びが、オーナーの個人的な趣味だったり、クラスでなくタイプで選んでしまうと、値段の設定を失敗と見られることがあるので注意が必要です。アバンギャルドな写真だからだめだとか、クラシックな写真だからいけないということではないのです。顧客が持っている「価格帯」に見合うクラスを読み取り、選び抜くことです。

今回のケースでは、選ばれるべき写真は「ステキ」とか「いい」と思われることが前提であり、顧客である女性の過去の体験や記憶、それも価格帯とマッチするクラス感を持っていなければなりません。また、女性がファッションや美容について、積極的になれるという時のほとんどが、自分を投影できるケースです。自分に関係ない、自分が入る隙間のないところをたいていの女性は目指しません。ですから、客単価を上げたければ、その価格帯で生活をしている女性のイメージであることが必須なのです。

同じようにロゴも「価値のランク」そのものを意味します。この時は、品格に満ちあふれた美しいローマン体の書体に、柔らかい印象を与える薄いベージュ系の組み合わせを選びました。ゴシック系のシャープなデザイン案はモード系のイメージが強すぎて、リラックスしたいマダムの気持ちと重ならず、ハンドライティング風の書体では、カジュアルすぎて、想定している値段設定と合わなかったのです。

既存のターゲットよりも、クラスアップした層を狙う

私はよく、デザイン戦略のコンサルティングとは、結局のところ宝探しのようなものではないかと思います。ポジティブ思考というような単純な表現では言い表せない気がするのですが、結局ネガティブな発想からブランドは生まれません。サービスや技術力の中から誰が聞いても感動できるエピソードを持っている企業なら、ほとんどのケースでデザイン戦略もすんなり導入できるのです。自分自身の姿は自分では見えないとはよく言いますが、多くの企業からの依頼は、自社の強みを魅せきれていない、魅せ方がまだ分からないというものです。

今回、相談に来た美容室には、技術的な工程において明らかなアドバンテージがありました。

他とは全く解釈の異なる原料仕入れと概念、独特のサービスのノウハウがあり、それが一回来店してもらえば必ず次につながる秘密でした。ですからビジュアルにおいては、とにかく多くを説明することを避け、本当によみがえる髪の毛の美しさに焦点を合わせたものが最終的には採用になりました。潜在意識に訴えることは、値段の比較や痛んだ髪のネガティブイメージではなく、健康的によみがえった髪本来の美しさだけでよかったのです。

デザイナーの仕事とは、魅せるべき宝箱の蓋を開け、その煌めき（すなわち、視覚戦略）を魅せる努力をするということです。あたりが明るすぎたら照明を落とさなければならないかもしれませんし、お客様がよく見えないとおっしゃったら、すぐ近くまで行ってその本当の美しさを魅せるのです。

つまり「クラスを上げる」デザイン戦略とは、それ自体が輝くことによって対象を引き付けるということです。そして、デザインのクラスが上がることでバリューが生まれ、人の心にうるおいを与えたり、幸せな瞬間を感じてもらったり、ときめいてもらいます。そのため逆に言うと、伝えたい宝がないサービスからは、クラス感を上げるデザインはできないのです。

私は、顧客にデザインのコンサルティングをする時は、必ず相手の心の琴線に触れるほど、「相手にとって重要なストロングポイント（ウィークポイントの反対）」を中心に、戦略の軸を考えていきます。可視化したものが目に触れる回数が一番多いのは実は、発注者本人です。マーケティングウェポン（武器）としての対象は明らかにマーケット（ターゲット）に向けられるのですが、費用対効果が期待できるパターンは、発注者に心理的な上昇効果、例えば「前向きさ」だったり「爽快さ」「明るさ」「自信に満ちる」というようなイメージを与えていけるものだと思います。文章であれば「書いた本人が読めないようなものはダメ」などと言うように、ビジュアルも全く同じことで「頼んだ本人が何度も繰り返し見続けられる」というようなものを制作者は目指すべきなのです。

先に挙げた美容室を例に取ると、新しいビジュアルは、スタッフにいい緊張感をもたらし、オーナーには自信を与えました。オープン直後にこの店を訪れた時、担当をしてくださったチーフスタイリストの女性が「このイメージまで自分を引き上げなくては、と思った」というように話されていたのが印象的でした。また、半年ほど経って、普通のお客さんとして前ぶれなく来店してみたのですが、平日の午前中から2フロアのうち1フロアはすでに満席という繁盛ぶり。オーナーは時期をみて次なる出店を検討中とのことでした。

デザイン戦略をこれから導入するのであれば、デザインを通してやる気や感動などといった言葉では伝え切れないものが、充分に感染する可能性があるということを知っておきましょう。経営者や発注者が大切にしていることや、これからやりたいことなどを熱心に願うこと、そしてそれに向ける真摯な気持ちは、作り手であるデザイナーに伝わり、デザインに込められ、最終的には顧客や従業員にも伝わっていくのです。

共感を呼び、多くの人を引き付ける

このケースでは、たまたま値段を上げざるをえない店舗のケースでしたが、値段を下げざるをえないケースにおいてもこれは同じことが言えます。結局のところ、値段を通して売り手と買い手が交差する点を見付けること、そしてそこにマーケットとしてのバリューが存在します。それは、価値観と空気感の共有地点でもあります。ですから、今回の美容室の件であれば値段以前の問題として、むしろターゲットが料金の中に含まれているべきだと思っているニーズ、例えば、パーマの待ち時間の飲み物が美味しいとか、トイレがきれいだということと同じようにデザインの中にも優雅さや清潔さ、クオリティが求められているのです。

デザイン戦略をトンマナを使って提供していく時は、ターゲットとなる相手を深く知り、その人が一番大切にしていること、つまり「お金に代え難いと思っているモノ・コト」の価値を知ることから始まります。もし、優雅でおっとりとした世界観を好み、ガサガサ・ざわざわとした空気を好まないターゲットであれば、デザインのトンマナも優雅でおっとりしていなければなりません。有名なデザインの先生を連れて来ても、業界で話題の新人を捕まえて来てもだめです。そのターゲットが、ガサガサ・ざわざわは耐えられない、好きになれない、と感じる価値観を持っている限り、ガサガサ・ざわざわのデザインの価値を正当には評価しないからです。逆に、リラックスできてナチュラルなライフスタイルやオーガニックコットンなどを選んで生活している層に、極彩色のアバンギャルドなデザインは理解してもらえません。

例えば、一時的なトレンドで同調しているように見えるケースがあったとしても、そういった類いのカテゴリーは、極彩色カテゴリーではありません。「トレンド追い」カテゴリーなのです。

「共感」という言葉は、今やマーケティングの最重要キーワードの一つと言えます。中でも最近特に注目をされている「ミラーニューロン」（鏡のように自分自身が投影されることで生まれる共感、つながりの感触）という概念からすると、「魅せるものが集まるもの」という自著『視覚マーケティングのススメ』で提唱した原理は、やはり正しかったのだとつくづく実感しました。これを、単純に市場や顧客にあてはめれば、視覚的に最も効率のいいミラーニューロンとは、「私はあなたと似た者同志ですよ」という信号を相手に対して送ることだと言えます。

つまり「私はあなたと同じ価値観を持っています」ということを、もっと手短に「同じ雰囲気や気配、空気感」で伝えていくのです。

言葉やファッション、音楽、アート、カルチャー、好きなアイドル、スポーツなど、様々なその集まりを作る根底となっているものは、ほとんどが価値観と空気感です。ですから、ターゲットをデザインマーケティングする際の戦略立案をするためには、この人たちが何を大切にしているかという価値観と空気感の組み合わせを、いったん分解して考えてみます。

共感を呼びたければ、そのカテゴリーでの「最高」と「最低」のライン（あるいは、アイテムやブランド）を必ず理解します。次に、マーケット（ターゲット）となる集団、あるいはカテゴリーの持つ空気感を実装します。質感やライティング、量感など、注意深く相手を見極めることです。デッサンや油画をする時に、最後のひと筆で絵の印象ががらりと変わってしまうようなことがありますが、それはたいてい、空気感が抜けていく時です。共感を呼ぶデザインをしたければ、相手の空気を知り、同じ空気をまとえるような、そういうデザインをしてみることです。

デイリー&カジュアルさの演出

「共感を呼ぶデザイン」と同じ方向性でかつ、特定のマーケットを示すものとしてよくあるデザインのオーダーに

「カジュアルな感じにして欲しい」

「デイリーユースなイメージを作りたい」

というようなものがあります。では、カジュアルでデイリーなデザインの印象を醸し出すにはどうしたらいいのでしょうか。

「カジュアル」なデザインにすることの最も大きな意味は、「敷居を下げる」「身近に感じさせる」「親近感の糸口を見付ける」ということです。デザインが雑になったりすることで、親しみやすさは生まれませんし、安易にデザインのクラスを下げて安っぽくすることでもくつろぎ感や親しみやすさは感じてもらえません。丁寧に、きちんと計算されたデザインで「カジュアル」な雰囲気を醸し出す作業をするということになります。

カジュアルさの演出のために、緊張を和らげるポイントのいくつかの例を挙げてみます。

●安心できる構図
●権威や歴史・伝統を象徴しないフォント
●刺激的でない配色
●斬新すぎないモチーフ
●機械的でない人間らしさや個性を感じるタッチやテクスチャー

「カジュアル」の反対語は「フォーマル」ですから、カジュアルにするにはフォーマルな要素をはずしていくという作業は効率がいいかもしれません。下の例は、Garamond（ガラモンド）やFutura（フーツラ）といったメジャーな書体を使ったものですが、柔らかいテクスチャーを付けていったり、背景を付けることで印象が和らぐという効果を実感できます。

経験が少ない若いデザイナーと仕事をしていると、カジュアルにしようとして、雑になったとかラフにしてしまったなどということがよくあります。「素人っぽい印象」あるいは「大雑把な印象」というの

［テクスチャーや背景で印象が和らぐ］

はビジネスのブランディングにはそもそも不向きです。大雑把さや、雑なデザインというのは「プロの仕事でない印象」イコール、「お金が掛かっていない」という悪循環スパイラルのマイナスイメージを知らず知らずのうちに植え付けてしまいます。カジュアルさの演出ではなくて単に雑なだけ、というのはデザインやアートディレクションではありません。

尖ることと同様、柔らかくするという作業にも品質は必須です。デザインの戦略において「クラスを下げる」ということは、対象にストレスを与えない見せ方の一つであって、雑さや稚拙さではないということをよく覚えておいてください。

廉価と価値の演出

価格訴求のデザインは今後、非常に重要な考え方になっていくでしょう。特に「無駄なものにお金は払わない」「価値がないものにお金を払えない」というのは限定されたマーケットにおける特別な感情ではありません。すべての人に共通する認識であり、すべての市場に通用する価値観です。

実際のところ、商品の値決めというのは流通や経営の段階で決まってしまうものなのですが、私たちのような販促担当者が大きく貢献できる仕事が一つあります。それは、「ものの価値をきちんと見せる」ということです。

「安く見せる視覚効果」というのは、実のところ「安っぽく見せる」ことではありません。ものがお買い得に見える、つまり金額に対してものの価値が高い、または金額にバリューがあるという視覚効果を計算して配置するということなのです。

会社勤め時代に私は、商品のカタログやチラシのレイアウトをよく担当していたのですが、クライアントからの指示で「商品拡大して、値段は金赤に」というものが多くありました。下の図を見ていただくとよく分かると思うのですが、基本的に「商品がよく見える大きさのバランス」というものをまずは考慮するべきでしょう。商品のバランスというものができた上で、値段がはっきりと書いてあるものは、例え値段の色が金赤でなくても「値段が正々堂々としている」「値段に自信がある」という印象を与えます。

つまり、この商品に対する見せ方がものの価値の印象付けに直接

［商品がよく見える大きさのバランスを考える］

つながるのです。

また、せっかく文字を大きくしているのに、よけいな装飾をフォントに施して「タイポグラフィー」のクラスの格下げをすることもお勧めできません。

［よけいな装飾を控えてクラスを格下げしない］

デザイン戦略の「タイプ（type）」を決める

これがデザインやマーケティングの話ではなく、月末に開かれる五年ぶりの同窓会だったら、と考えてみると非常に分かりやすいのかもしれません。例えば、会場がオシャレな高級イタリアンレストランで、昔の自分はあまり冴えないタイプだった、けれども今は昔と違う、とします。あるいは学生時代はものすごく遊び人だったけれど、今はもうそんなことにはとっくに嫌気が差していて、仕事もかなり堅めでハイブローな職種のマネージャークラス、ということで考えてみるのもいいでしょう。

さて、同窓会にはまじめにスーツで行くべきか、カジュアルで行くべきか……。そうです、今の魅せたい自分があって、しかるべきシチュエーションがある。そして最終目的に「効果を出すべき対象」という条件があって、「さて、何着ていこうかな?」とあなたは考えるのではありませんか？　デザインとは同じく、ものがあって、対象があって、関係があって、出したい効果もあります。出したい効果のために素直に自分を演出できればいいに越したことはありません。けれど、そうもいかないこともあります。「それでは、伝わらないぞ!」という時、ファッションやスタイルという名のタイプ戦略をあなたも使ったことがあるはずです。

デザインのタイプとは？

デザインのタイプを決めるということは、大きくいうと二つの意味を持っています。

① 私はこんな人ですよ、と宣言する
② あなたに対して、私はジャストフィット（マッチング）していますよ、と宣言する

ある有名なデザイナーは、周囲にいるアシスタントや広告代理店の担当者たちにいつもこんな風に言っていたそうです。

「『Ｐｅｎ』（雑誌／阪急コミュニケーションズ）を読むようなやつだけに分かるデザインをすればいいんだ。それ以外は無視だ」

固定誌の読者をターゲットにするという戦略はまさに本書の『デザイン戦略の「角度（reach）」を決める』そのものです。「誰のために」というターゲティングに絞ったマーケティング活動は、いわゆるばらまき型の広告活動より費用対効果が大きいということで注目を集めていますから、それをデザインで実装できるということは、フルメディアに「ターゲティング活動」ができる、ということなのです。

ターゲットに向けて好みのトンマナを選び、クラスは高めか低めか、色は自然を感じるものを選ぶのか人口的な配色がいいのか、ということを「決める」だけで、対象クラスターに向けての有効なマーケティング活動となりうるのです。何かを好きだというような人間の根本の感情を捉えることをおざなりにしては、ターゲティング活動をすることは不可能とも言えるのです。

センスよくというオーダー

「センスよくしてください」というオーダーは、実はデザインの現場において、非常に多いオーダーだということをご存知ですか。いや、これがなかなか厄介な代物なのです。冒頭の固定誌の読者を対象にして欲しい、というようなオーダーのほうが、どれほどはっきりしていて簡単なものかということを、たぶんデザインの実務経験のない方は想像しづらいに違いありません。

センスがよいということは、何を意味しているのでしょうか。人は、本当に簡単に「センス」という言葉を口にします。以前、キャリアのかなりある広告代理店のクリエイターに「センスがいいってどういうことだと思う?」と聞いてみたことがありました。するとこんな言葉が返ってきました。

「目に心地いいっていうことじゃない?」

「センス」という言葉がそもそも危険なのは、「センスがいい」の対象になりうるものがたった一つではないということです。様々な対象にとって、様々な「センスのよさ」があります。それは決して一個だけではないのです。

まるで言葉遊びのようですが、「センスが悪い」ということは、やりすぎたり人によってはニッチすぎて理解できないなどの意味も含まれます。つまり、センスのよさとは、限りなく多くの人が感じる共通のグッドデザインであり、スタイリッシュスタンダードということになり、それは個性の主張ではありません。多くの人が少しだけ背伸びして感じる洗練とは、洋服のプレタポルテのようなものではなく、量産化された着やすいフォルムにシンプルだけれども印象に残るデザインがちょうどよく施され、上質の生地と縫製でできたリアル・クローズのようなもの。

ですので、もしクライアントからセンスよくやってくれと言われたら、過激なモチーフを選んだり、ものすごく変わった形を作ったり、非常に稀なテクスチャーを探しに出かける必要は

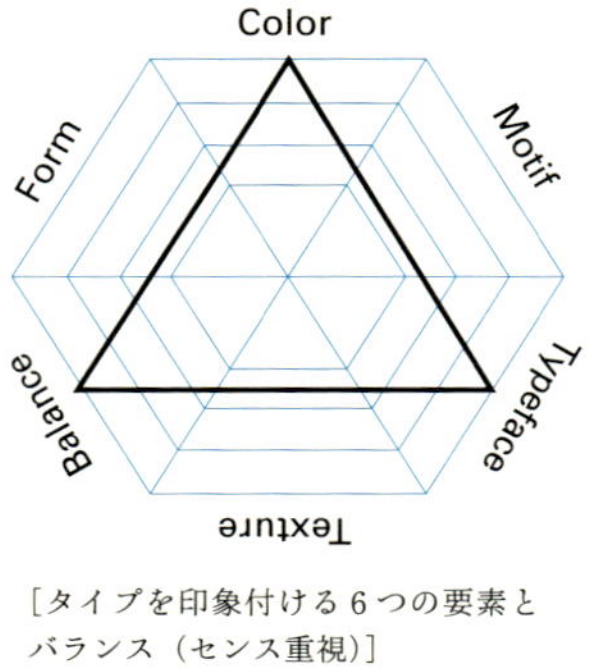

[タイプを印象付ける6つの要素とバランス(センス重視)]

ないと言えます。

バランス、バランス、バランス！　つまり、モチーフやフォルムでなくバランスでデザインを構成することがセンスを上げる近道と言えるのです。

デザインのコンセプトからディテールに至るまで、ともかくバランスをよくすること。構成と、配色と、フォントカーニング（文字詰め）にその大半を費やすこと。「センス重視」のデザインは、バランスから生まれバランスによって色付けされます。バランスを取れない人は、センスを磨けないと言っても言い過ぎではないのです。

品質・信頼重視というオーダー

実際のところ、センスよく……で片付くほど簡単なオリエンテーションなんてありえないですし、それではデザイナーはものを作れません。

万が一、「センスよく」を問われた次の瞬間に「高そうに見せて」「高品質に見せて」と言われたら要注意です。価格のイメージというのは実にはっきりとしていて、高そうに見せることとセンスよく見せることは同じではありません。むしろ、センスよく見せるために削ぎ落としたパーツの中に「価格感」はあります。

この、時々デザイナーがクライアントにオーダーされる「高級感出してね」という、悩み深いリクエストに象徴される「リッチ感」のタイプを示す価格のプレゼンテーションについて、商業デザインというジャンルで特になじみ深いものを思い浮かべてみましょう。

車、不動産、ジュエリー

そうです。どれを思い出してみても分かることなのですが、価格の「高さ」をクラス感でなく「タイプ的」に分析すると、先ほど削ぎ落としたものがすべて必要だということが分かります。

例えば、不動産の広告やパンフレットであれば、大理石や高級御影石などのテクスチャーやゴールドのエンボス。車であれば、革張りのレザーシートを引き立てる、ゴージャスな城の背

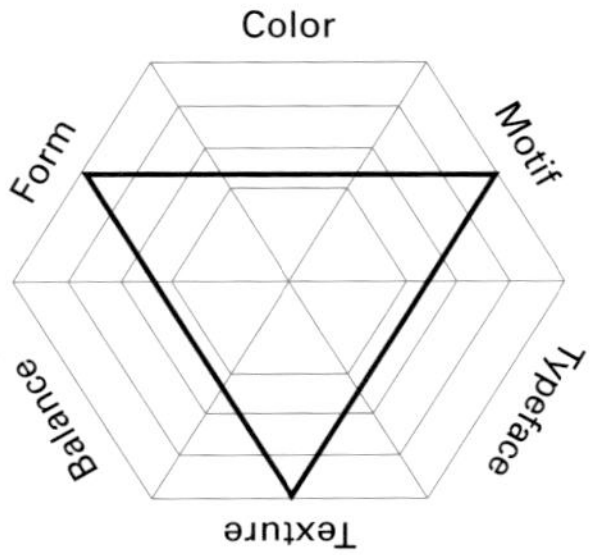

［タイプを印象付ける６つの要素とのバランス（品質・価格重視）］

景でしょうか。宝石であれば、滑らかなビロードの上に置かれめくるめく光の洪水を放っているという感じは、とてもゴージャスなイメージを感じさせますし、服飾であれば、やはりシルクにしてもジャガートにしても、ざらざらつるつるとした独特の肌触りも、シンプルのちょうど逆であるリッチ感の演出にもってこいなのです。

クラスを上げる、とは意味が違うのでやや混乱しないようにカテゴライズをし直すとすれば、クラスとは格上を印象付ける権威付けのこと。それに対して、タイプによる価格帯のイメージ訴求とは、表面的で具体的なリッチ感の演出にあたります。それは、ゴージャスさであり、華美な匂いを放つ分かりやすい富裕ビジュアルであり、まばゆい光でもあるような一連の世界に関連付けられるものなのです。

企業価値重視というオーダー

最近はだいぶ少なくなりましたが、以前は「企業サイトっぽく、お願いします」というオーダーがとても多かったのをよく覚えています。企業サイトのデザインの「らしさ」とは特にバランスや均衡の精度のことで、具体的に言うとグリッドデザイン（スペースを格子状に分割しテキストや図をそれに沿って揃える、伝統的なレイアウト手法）のきちんとしたレイアウトと、上質なタイポグラフィー。図形を使う時にはきちんとしたきれいな形のものを使うということが大切です。

なんだ、そんなことか、と言われそうですが、当時のホームページのテンプレートの多くは、グリッドデザインやフォント選びを軽視するものが多く出回っていました。

グリッドデザインをすることの最も大きな意味は、情報のディレクトリ化が非常に明解になるということで、これはユーザビリティの向上につながります。情報を探しやすい、記事が読みやすいといった配慮は、企業の誠実さを示します。

フォントにこだわる、フォントを決めるということは、企業の格や方向性を伝えることに等しいのです。タイトル画像に使う見出しであれば（本文書体はともかく）、伝統や格式、上質感を演出したいなら明朝体を。すっきりとシンプルに、先進性やスマートさを表現したいなら細めのゴシック体に。安定感や強さを表現したいのであれば、太めのゴシックを使うとよいで

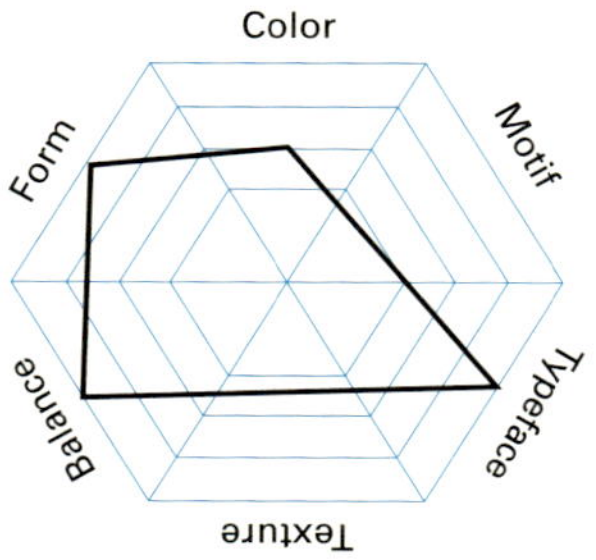

［タイプを印象付ける６つの要素とのバランス（企業価値重視）］

しょう。

フォルムについて触れているのは、例えば、ぐにゃぐにゃのアメーバのような形がランダムに並んでいるサイトに「安定感」や「誠実さ」はイメージできにくいからです。これは、見る側は形の安定感や完成度をそのまま企業の姿勢として感じ取ってしまうということなのです。

ターゲットの好む世界観に、デザインを寄せる

冒頭に登場した、「固定誌の読者だけに分かればいいデザイン」という話がありました。こういった考え方は衝撃的なようにも思えますが、ニッチ市場をつかむためのポイントとも言えます。つまり今後、ターゲティングを重要視するならば「ターゲットの好む世界にデザインを寄せる」というマーケティング的な戦略は増えると考えられます。

メーカーやソフトウェアの販促を行っていれば必ず経験することですが、同じような仕様のものを多少変えたマーケティング活動で繰り返し売る、というシチュエーションに出くわします。

人気のゲームやＭＰ３のプレイヤーなど、初期モデルでは黒や白だったものがマイナーチェンジで多

少仕様がスペック変更する際に、差別化としてカラフルなカラーバージョンが登場したり、よりスタイリッシュなモデルになる……ということは実際によくある話でしょう。この色替えの他にも柄を付けたり、ケースを売ったりするという事例を皆さんはよく見かけるのではないでしょうか。

実際のところ「好み」の要素の大半は、感覚的に誰もが感じる「感触」要素の可視化です。

先ほどの固定誌読者のためのデザインに話を戻せば、その雑誌の読者の望むところははっきりしています。それと同じように、ペット愛好家を考えることだって可能です。幼児教育向け教材に至っても同じです。一覧にしてみましょう。

●『Pen』読者の好むであろう世界観と重なるキーワード
デザイン至上主義的モチーフ／ソリッドで都会的な質感／モノトーンやコントラストのはっきりした色合い／前衛的なフォルム

●ペット愛好家の好むであろう世界観と重なるキーワード
ペット至上主義的モチーフ／ふわふわ、カワイイ、パステルカラー／丸みを帯びた形

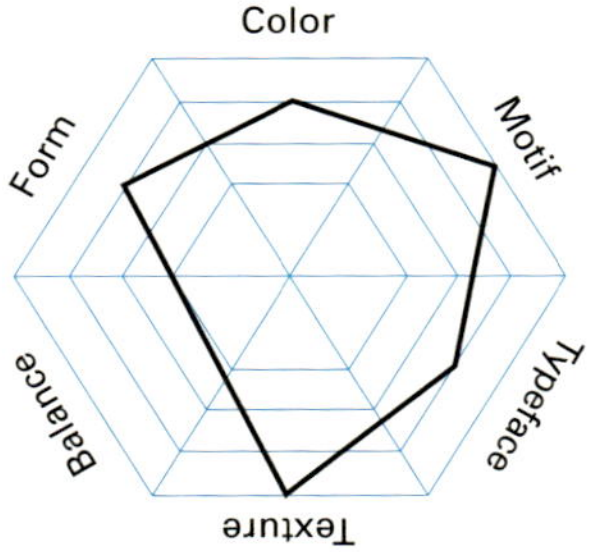

［ターゲットの好む世界観に、デザインを寄せる場合の6つの要素とバランス］

●幼児教育教材のための世界観と重なるキーワード
教育グッズ、子供モチーフ／ふわふわ、カワイイ、クレヨンの配色のような原色を含んだビタミンカラー／丸みを帯びた形
●ビジネスシーンを演出するであろう世界観と重なるキーワード
ＰＣ、ビル、数字、会議／インテリジェンス、クールで都会的な配色／人工的で無機的なフォルム

つまり、「〇〇向けのデザインをお願いします」と言われたら、することはとてもはっきりしています。まずは対象をデザインの中に存在させること。赤ちゃん向けだったら、赤ちゃんを素材にするのが一番手っ取り早く、ペットマニアにはペットの姿を見せることが一番なのです。

望まないターゲットを突き放す

マーケティングには、「こんな人に来て欲しい！」という切なる願いがある一方で「こんな人には来て欲しくない！」という、望まない顧客のふるい分けも必要です。例えば、イベントやパーティの開催

時に、敷居を上げたいとか、カジュアルでやんわりとした雰囲気にしたいなど、主催者のもくろみはいろいろあるでしょう。

敷居を上げたい、セレブなお客さんだけ来てね……というのであれば、カジュアルさを排除し、招待状のフォルムを規定サイズより細長いものにしたりして、「なじみのない」ものにしていきます。カジュアルやエコな雰囲気を持たせたければ、素材感のあるテクスチャーをデザインに織り交ぜていけばよいでしょう。

「対象に寄せるデザイン」が「魅せて引き付ける」ということであれば、「突き放すデザイン」とは、立ち入るスペースをなくして対象とは異なる好みのもので埋め尽くす、ということです。ターゲットは広く取りたいけれど、こういう人だけはお断りしたい！　そんな時にはデザインを使うのが手っ取り早いと言えるでしょう。

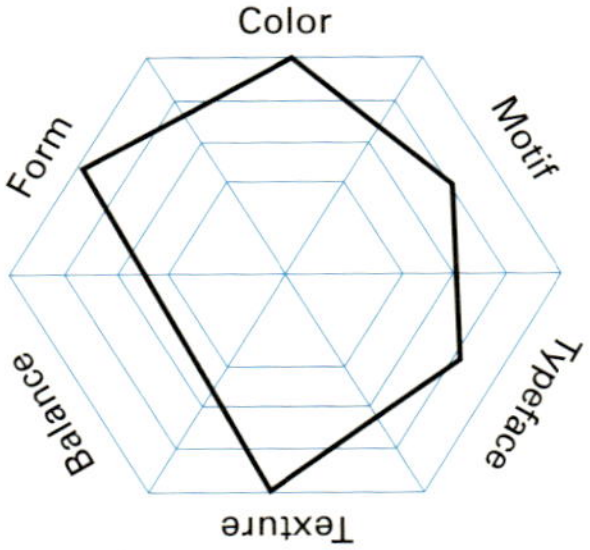

［望まないターゲットを突き放す場合の6つの要素とバランス］

モチベーションを上げる、心を揺さぶる

モチベーションについては、仕事術やライフハック関連の書籍でもたびたび紹介され、仕事の効率を上げる現実的な手段としてすでに注目をされていると思います。

ライフハックのテクニックとして非常に印象深かったのは、自分に対してご褒美などの設定をして、それに向けてモチベーションを上げるというようなものでした。人間は確かに「ご褒美」に弱く、いいことがあると思えるからこそがんばれるという生き物だと思います。商業デザインの現場でよく思うことは、デザイン戦略そのものが「ご褒美」になりうる、ということです。

新しい車や洋服、ＣＤ（音楽コンテンツ）、お気に入りのワイングラスなどを購入した時のことを思い浮かべてみてください。あなたの心を熱くする、デザインの資源は何でしょうか。

その新しいものを見て、心が揺さぶられる大きな要素に「形（フォルム）」があります。これは確かに人それぞれですが、男性が美しい女性を見ると大きく動揺するのと同じように、もともと女性は丸いもの・かわいい形に反射的に反応するそうです（男脳と女脳、あるいは男性と女性の形に対する反応の差については、『話を聞かない男、地図が読めない女―男脳・女脳が「謎」を解く』（アラン・ピーズ、バーバラ・ピーズ著、藤井留美訳／主婦の友社）など、多くの書籍や参考文献がすでに出ているので、これ

らを読むのもよいでしょう）。「ある形を見るだけで、ビビっとくる反応をする」というのは実際にある話なのです。

また、日本には四季がありますから、もともと日本人は色の移り変わりにも敏感に反応するようです。広告業界やプロモーションの世界では、新発売やディスカウントセールのない時期に「シーズンキャンペーン」を行うという慣習があります。もちろん、クリスマスやハロウィーンといった、欧米／宗教型の文化イベントもありますが、日本では、梅雨が終わって夏だ！　ちょっと涼しくなって秋だ！　雪が降って冬だ！　というような季節の移り変わりだけで、キャンペーンができるのです。そして、それは季節が移り変わっていくという日本の風土と深く関係しています。

例えば、寒い冬が終わりを告げ、春が来て桜が咲いたらその次には、鮮やかな新緑のグリーンや眩しい空色が必ずきれいに見えるのです。それと同じように梅雨の空は彩度（色の鮮やかさ）が低く、小雨というフィルターによって街並みも心なしかどんよりして見えますよね。ここに目にも鮮やかなピンク色の傘であったり、山吹色のようなビビッドな配色を持ってくれば、道行く人の目を奪うことも可能でしょう。

「目を引く」とはよく言ったものだと思いますが、ついつい見てしまうような美しいものであれば、それは「心も奪われている」と言っても過言ではないのです。そして、人にとって「心を奪われる瞬間」

とは、時間の種類で言えばとても幸せな時間。デザインで「目を引く」ことの完成度を上げることは、他人（ひと）を幸せにすることでもあるのです。ですから私のところにご相談にみえるビジネスパーソンには、デザインには「使命」があることを伝えると同時にその「完成度」は人に喜びや幸せを与えるものだということをお伝えしています。

私は、インターネットマーケティングの専門書や広告媒体の調査で、広告の反応率や効果測定のグラフを見るたびに、媒体効果の測定にかける情熱を、コンテンツ作成やデザインのマーケティングにぜひ注いで欲しいと思っています。何もしないことを考えたら、デザインのマーケティングをすることで得られる汎用性には、点と点をつなぎ、線を作り、新しい道を作るような未知の可能性があります。例えば、異性にモテたいからといって、しゃれたバーやレストランを探して、ブログにレポートを書くというのはあまり効率のいいやり方ではなく、それより、まずはデートに誘って、誠心誠意楽しい話題を提供してみるのです。マーケティングそのものが量の時代から質の時代へと変化を遂げていますが、そんなこととも似ているような気がします。相手の気持ちを思って、びっくりするようなプレ

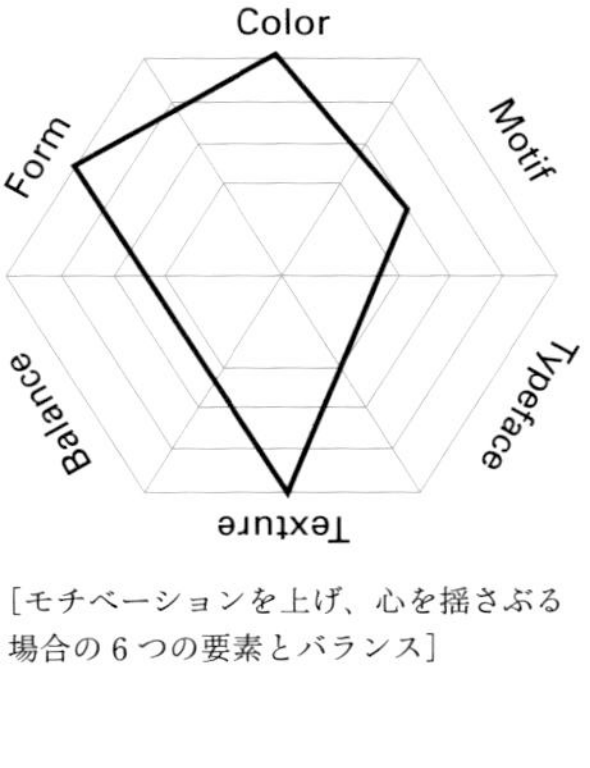

［モチベーションを上げ、心を揺さぶる場合の６つの要素とバランス］

ゼントを考える。それ自体が自分自身をワクワクさせたり、放熱効果の源になっていたり……ということは実際によくあることです。目にも鮮やかな配色、うっとりするような曲線、滑らかな手触り。そのようなものが人に与える視覚効果というものに、もう一度注目してみましょう!

デザイン戦略の「テーマ（concept）」を決める

ある日、イメージが降ってくる。と、いうことは、クリエイターやデザイナーであっても、そうでなくても、決してないことではありません。でも、ちょっと待って！

デザインでマーケティングするのであれば、コンセプトありきでデザインは存在するというルールを肝に命じておかなければなりません。何か適当に思い付いたものは、何か適当に思い付いたもの以上の何ものでもなく、言い換えれば、コンセプトが不在であれば、すでにそれ自体デザインとは言えないのです。

テーマ（concept）を決めるために

デザインの「テーマ（コンセプト）」を決めるというのは、確かにあまり簡単な作業ではないと言えます。あっという間に、インスタントに、簡単に誰にでもできるんですか？　と問われれば、それはちょっと難しいと答えざるをえません。私の場合、通常の業務でも最低で1週間以上は、コンセプトメイキングに時間をもらっています。それでも、いつも時間は足りない、もっともっと時間があれば、と思うことは少なくありません。

仕事で企画やテキストコンテンツの制作に関わられている方であれば、コンセプトという概念にはしばしば遭遇していることでしょう。しかし、例えそうであっても「デザインのコンセプト」については、できあがったものを見て説明を受けて納得する、という程度で視覚化にまつわる戦略立案は、まだまだ未知の部分が多いに違いありません。

ここではなるべく効率よく、はずさないデザイン戦略への近道を見付けるために、概念のキーワードを視覚的に表現しやすいキーワードに置き換えて、想いを可視化（見える化）するという手法を紹介します。この方法であれば、絵を描くのは苦手という人であっても確実にイメージを思い浮かべることができます。また、常にビジュアルイメージで思考しているデザイナーのような種類の人間と言葉や論理に長けた非デザイナーとが共通したイメージやアイデアを共有し、安心して企画を進めることもできます。

何かの気付きであったりずっと引っかかっていたことの答え、明らかにこちらの方向に行くんだ、というように自身の想いの本質からわき出たイメージというものは、見れば見るほど自分で好きになれますし、使い込めば使い込むほどに愛着や確信を感じることができます。ブランドのデザインも然り。アイデンティティをデザインにするということは、本来そういったものなのです。

見えないものを魅せるための実践ワーク1（もの→ものへの置き換え）

製品が素晴らしく優れているという時に、製品写真を大きく表示するという方法はもちろんあります。そこに大きくキャッチコピーを入れ、レイアウトする。それは間違いではありません。

では、コンセプトを作ると一体何が変わるというのでしょう？ 例えば「私たちの製品は人類の宝だ」というコンセプトを決めたとします。おそらくコピーまわりでは、そのコンセプトを表現するようなスローガンやキャッチコピーが使われることでしょう。ビジュアルとコピーがかぶらないようにすることで、メッセージの効果は強まるので、更にアイデアを発展させて展開していくことができます。

「製品」という非感情的なものを「宝」と言い換えて命名することは、すなわち、ものに命が吹き込まれる瞬間であり、価値や思想を共に伝えるテクニックでもあります。

では、あなたにとっては宝とは何か、を考えてみましょう。「宝のように大切に見えるようにレイアウトを」「宝のように、光り輝いて見える存在感を」などとキーワードがキーワードを呼び、更にビジュアル化が進んでいきます。

そしてもちろん、これらは「比喩表現」ですから、宝石の写真を表示する必要はありません。コピーで「宝だ」と言っているのですから、その価値観や情景を映し出せばよいのです。そういえば、アップル社のノートブックパソコンの製品広告は、いつも光の中に燦然ときらめくような期待感を感じさせる製品写真を使っているとは思いませんか？　シンプルな白い背景で製品を撮影するにしても、「こうなりたい」「こう魅せたい」という発注者側の意志があるのとないのとでは大違いなのです。

【実践ワーク】あなたの会社を「もの」に言い換えて、デザインのコンセプトを考えてみましょう。

見えないものを魅せるための実践ワーク2（もの→ことへの置き換え）

さて、先ほどのように製品が素晴らしくて、大きく表示するという端的な表現から、更に飛躍をします。この製品が対象に与えるものは何か、ということを考えてみます。与える影響にはどういった「こと」があるのでしょうか？　全く新しいライフスタイルなのでしょうか？　ストレスのないネット接続でしょうか？「もの」を「こと」に言い換えていくことによって、ビジュアルイメージは更に具体的に広がってきます。

製品そのものは、金属やプラスチックで加工されたものであったとしても、環境に配慮された製品であれば「開かれたエコライフ」と提唱することもできるでしょう。

対象に与えるメリットや影響力のことを、広告の世界では「ベネフィット」と称していて、ベネフィットを中心に広告のコンセプトを考えるというのは、私が知るだけでも20年以上も続くとてもスタンダードなコンセプトの立案方法です。

このベネフィットを、機能を中心に考えて表現の軸にしてみましょう。そうすることで、よりロジカルにビジュアルイメージは展開していけることでしょう。また、機能中心のベネフィットではなく、感情中心のベネフィットに注目すればエモーショナルなビジュアルイメージの展開が可能です。先ほどの、金属やプラスチックでできているエコ製品を例に取ると、「開かれたエコライフで、スローライフに目覚める」などといったところまでは、すぐに思い付きそうです。

このように、ものの特性からユーザーベネフィットを捉えていくことで、ビジュアルイメージの翼は広がっていくのです。

【実践ワーク】あなたの会社を「こと」に言い換えて、デザインのコンセプトを考えてみましょう。

見えないものを魅せるための実践ワーク3（もの→音への置き換え）

あるデザイン勉強会で講師をさせていただいた時に「デザインのコンセプトを立案するためのテーマ曲を選んでください」という課題を出したことがあります。ブログのデザインをどうしよう、パーソナルなブランディングをどうしていこうというコンセプト立案の際にこの「テーマ曲を決める」という課題を出したのですが、この時、12人の参加者の8割以上がこの課題からインスピレーションを導き出し、デザインのコンセプト作りへ一歩大きく近付くことができました。参加された方が選んできた曲には、ロックからクラシックまで様々なジャンルがありましたが、例えばロックを選んだ人には、葛藤やそれを乗り越えるブレイクスルーのテーマがありました。歌唱力に優れたシンガーを選んだ人の胸の内には、本物志向という高い目標設定がありました。途中で極端な展開をもたらす曲を選んだ人は、その人のビジネスのスタイルそのものが、異なる二つの要素を抽出してつなぎ合わせるという独特の手法であったことを再認識しました。本人も特に意識をしてこなかったような、けれども、差別化や未来設定を考える際にとても大切なポイントが、ブランディングの核やイメージを引き出すきっかけとして音楽の中に隠されていたのです。

音楽をコンセプト作りのきっかけとして使うもう一つの大きな理由は、「構成要素」です。音楽を構成しているものには、そのジャンルという大きなカテゴリーから始まり、リズム、メロディ、演奏している楽器、歌詞、そしてテーマといったものがあると思います。このそれぞれのパーツがスタイルや個性とクロスオーバーしてくるわけです。選んだ音楽を分解して考え、デザインのクラスやタイプ、トンマナといったものに重ね合わせるだけで、クリアなコンセプトを導き出すことも可能なのです。

実はこれは最近耳にした話なのですが、グラフィックデザイナーを生業としている人の中で、仕事ごとにテーマソング（曲）を決めている人というのは相当数いるそうです。ものにも置き換えられない、ベネフィットも分からないとなったら、今から作ろうと思っているデザインのテーマ曲を1曲選んでみてください。

【実践ワーク】あなたの会社を「音」に言い換えて、デザインのコンセプトを考えてみましょう。

見えないものを魅せるための実践ワーク4（もの→風景への置き換え）

1、2、3である程度コンセプトが出たという人は、もう一つ「可視化」のワークをやってみましょう。それは、今考え付いたデザインのコンセプトを風景に置き換えるというものです。偉大なる経営者の自伝などでは、未来を頭の中で絵に描いていてその通りになったという話をよく聞きますが、風景を思い描くワークからは、潜在的な「理想郷」を導き出すことができます。

これは、視覚から入るデザインというイメージが、補完の効果として足りないものを埋めようと行動をうながしたり、なりたい未来に近付く未来想定のための意志をはっきりと脳裏に焼き付けるという意味でも非常に有効なメソッドではないかと思います。ファーストフードチェーンのマクドナルドの創始者である、レイ・クロック氏はビジネスモデル構築の初期段階に、すでに今のようなマクドナルドの看板を思い描いていたそうです。

広告やデザインの現場では、沢山のアイデアやラフデザインを考え、その中から質の高いものを選び出すという訓練を大切に思う習慣がありました。私もアシスタント時代には、新聞広告のサムネイル（ラフスケッチの前段階の小さなスケッチ）１００案や、ロゴのデザインラフ50案、といった具合によく考えていた記憶があります。最近は、より効率的に、よりパフォーマンスよくという作業のスタイルがもてはやされていますし、正直時間も予算も余裕がないのが現実です。ですが、もしもほんの少しでも時間が許されるのであれば、創造の翼を羽ばたかせていろいろな空想をしてみていただけたらいいと思います。「デザインのコンセプト作りとかはよく分からん」という人も、自分の好きな風景やシーン、こんな風になりたい、こんなところに行ってみたいとぼんやり想像をしてみて欲しいのです。どんな世界が浮かびますか？

私自身はスポーツクラブのジャグジーでぼうっとしている時、坂道を上りきったところにある交差点で直進の信号待ちをしている時などに、なぜかよくいろいろなアイデアが浮かびます。アイデアが浮かぶと、それは楽しくて楽しくて、これはまた3歳くらいは若返っているに違いないなどと思いながら、忘れないように何かにメモしたり頭の中に焼き付けます。皆さんはどうですか？　何か浮かびましたか？

もし今何も浮かばなくても、ある時突然、思い浮かぶかもしれません。そんな時のために、日頃からビジュアルイメージを豊かにする訓練をして欲しいのです。言葉からイメージに、行ったり来たりをしてみてください。ある時、目の前にあるものの見え方が変わってくるという、更に楽しい現象を体験できることをお約束します。

【実践ワーク】あなたの会社を「風景」に言い換え、デザインのコンセプトを考えてみましょう。

見えないものを魅せるための実践ワーク5（もの→色と形への置き換え）

さて、置き換えのワークはこれが最後になります。できることなら真っ白い紙（頭の中で想像することでもいいです）を用意します。ここの節にコンセプトや辿り着きたいイメージはありません。色鉛筆やガッシュ、クレパスなどもあればとてもよいですね。今思い付いた言葉から、コンセプトを色や形に置き換えてみましょう！

「ただなんとなく思い付いたもの」と「コンセプトから生まれてきた色や形」について、その差を実感していただくことはできたでしょうか。

【実践ワーク】あなたの会社を「色と形」に言い換えて、デザインのコンセプトを考えてみましょう。

Part 1

3

ポジショニングデザイン＝トンマナ攻略のススメ

マーケティングの視点を持つ

ポジショニングとは、もともとマーケティングの業界の用語ですが、ここではあえて、失敗しないデザイン戦略のためのフレームワークの一つとして考えていきます。デザインの「案」をポイント的に出すのではなく、顧客の頭の中にポジションを想定し、その範囲でデザインを実装するというやり方は、デザインのリスクマネジメントとも言えるかもしれません。

席を取ってからコーヒーを買うのか、コーヒーを買ってから席を取るのか

カフェでは居心地のよいソファー席を確保してから、コーヒーを買う、というようにデザイン戦略をよりセーフティ（安全）に、より威力のあるものにするためには、常に段取りやその周辺環境を整えるということを同時に考えておくべきです。例えば、お気に入りのカフェで仕事をしよう、と思い立ったとします。豆も焙煎も一流で魅力的なスイーツもあるカフェですが、混雑していて席を探しているうちにすっかりコーヒーが冷めてしまったら、美味しいコーヒーの価値は半減してしまいます。

明らかにその実力が発揮できる「シチュエーション」、これを私はデザイン開発の仕事の中では勝ち目のあるポジションと呼んでいますが、これが取れている場合とない場合では、ものの評価が変わるということをまずは意識しておきましょう。

ポジショニングを設定してデザインを進めるということは、私たちの業界でいうアートディレクションとほぼイコールに違いないのですが、ポジションを取ることはアートディレクションよりも、よりセーフティで低リスクなのではないかと思います。アートディレクションというピンポイントのデザイン戦略立案決めでは、デザイン経験のある特定の人にしか理解しづらかった暗黙値の領域でさえも、ポジショニングという概念ではより具体的にかつ明解に説明できます。それは、鋭利な線状だったものを「面」に広げるようなイメージです。デザイン戦略はアートの一点買いではなく、自身の陣地を確実に固めていくような現実的で間違いのない投資なのです。

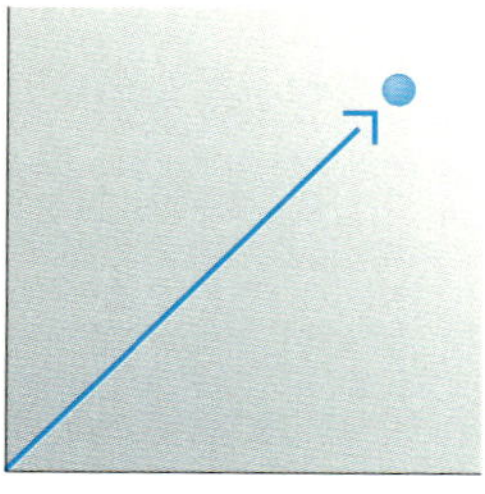

［アートディレクションのイメージ（ピンポイントに直線で向かう）］

［ポジショニングを設定してからデザインを進めるイメージ（ポジションを取りにいく）］

会議&ビッグプロジェクト化で大きく間違う企業のパターン

フリーランスとして独立したての頃、その大半は広告代理店の下請けの仕事でしたが、一方で大企業でのプロジェクトに直接関わることもあったり、ベンチャー企業のブランディングなどにフル媒体で携わることもありました。すると、デザインの結果というのは、その仕事の大きさや企業のネームバリューなどではなく、実際のプロジェクトに携わるチームの関係性と、発注時のゴール設定にあるということに気付きました。

以前、ある県のＶＩ（ビジュアル・アイデンティティ）とロゴマークについて、意見を求められたことがあるのですが、デザインを担当したデザイナーは超一流で実力のある著名な方でした。その方がその県の出身者ということで抜擢されたそうですが、その作品を含んだ県のウェブページや印刷物などからは、その方が関わっているというオーラが感じられません。もしも、特別な説明書きや注意を引くコメントがなければ、その方の作品であることも見逃したであろう仕上がりです。莫大な予算を掛けて、またとないキャスティングをしているのにも関わらず、確かにそれほどのできではないのです。

なぜこのようなアンマッチが起こるかと言えば、プロジェクトやメディアの全体を見渡すクリエイティブディレクターが不在であることが挙げられますが、こういったケースは現場では決して少なくはありません。

多くの人が感じる「スゴイ」「カッコいい」「センスいい」というような反応は、全体のプロジェクト、すなわちトンマナに対して起こるものなのですが、全体像をイメージしていないデザインの発注によって、横道に逸れて取り返しがつかない答えに辿り着くということが頻繁にあるのです。

概念や理念を「新しい県政のイメージ」というように企画書に記しても、それはどのように新しく、誰に対して新しく、どんなイメージでどんなデザインなのかということが何も決められていないことに気付いておく必要があります。デザインが戦略にならない多くの場合、「新しい県政のイメージ」のままデザインラフがあがってきて、できあがりの「絵」に対してああでもない、こうでもないという議論を繰り返すことになりがちなのです。

「新しい県政のイメージ」ならば、それが間違われてはいけない対象として何があり、どこを目指していくのかという「指針」を明確に示した上で、今現在から何を改善し、ステークホルダーに対してどんな存在になるのかという「ポジショニング」をセットで考えなければ、デザイン戦略にはならないのです。

「デザインやＣＩ（コーポレート・アイデンティティ）を取り入れたけれどパッとしなかった」というほとんどのケースがこれまで述べたようなかたちでできあがったものでしょう。だからといって、ここでデザイン戦略そのものを「手を出しにくいもの」「きれいでも効かないもの」という扱いにしてしまえば、真摯にデザインの戦略を練っているプロジェクトとは大きな差が生まれてしまうでしょう。

　こういった間違いをおかさないためにも、発注者のゴール設定をあいまいなままプロジェクトを進めてはいけません。依頼したデザイナーに「お任せします」ではなく、ロゴを変えてよかったと誇りを持てるようなゴールの設定をすること。そのためにも発注者が、マーケティングやブランディングというものを強く意識しつつ、より積極的にデザインについて「関わる」気持ちは大切です。誰のために、何のためにという要件定義が不十分な

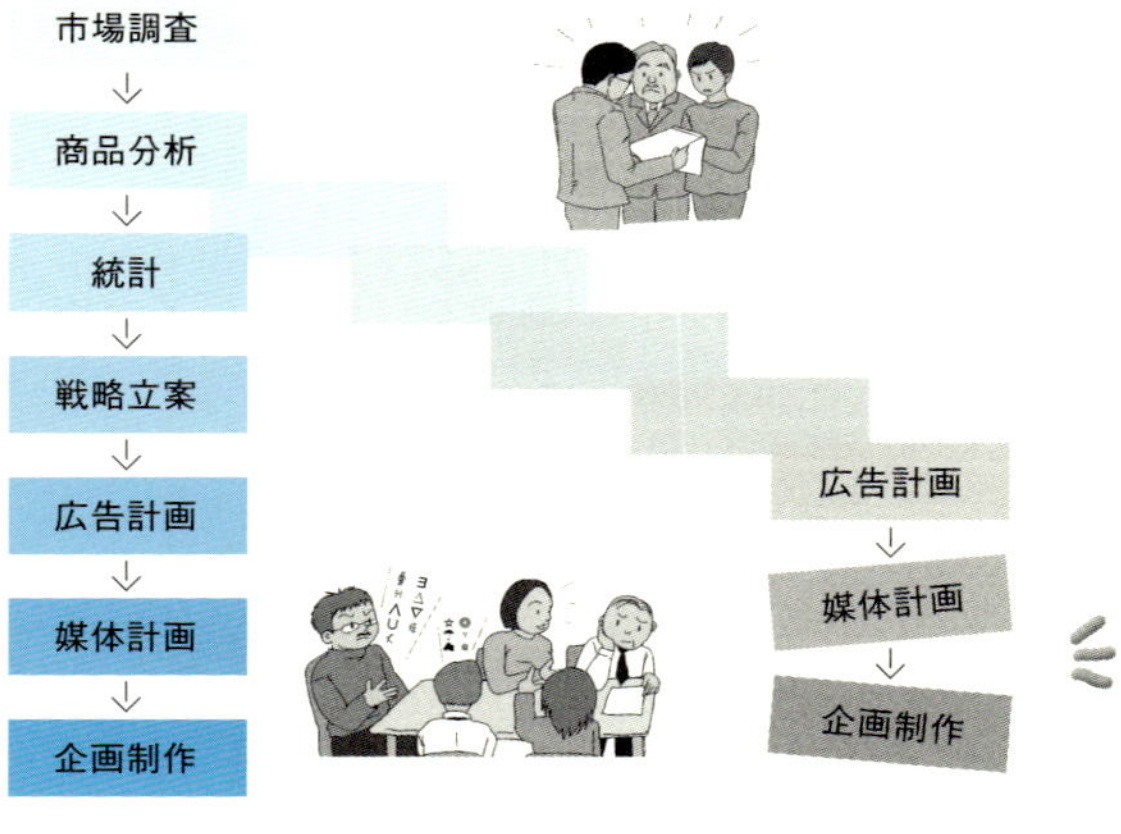

[プロジェクトの制作フロー]

上から下へ流れる一方通行の制作フローでは（時間や費用を削減しようとする場合）、途中で大きく本筋を逸れる危険性を覚悟しておかなければならない

企画書で言いたいことを言い合っているうちに、なんとなく横道に逸れてしまう……。いつの間にか、コンセプトはもちろん方向性さえも大きく間違えてしまう、そんなことにならないためにも重要なことなのです。

プロジェクトの最末端にデザインというポジションがある限り、デザイナーの努力やセンスには限界があります。本当のところ、デザイナーはもっとプロジェクトのより上流工程から関わっていかなければいけません。もうすでに大きく間違っていて軌道修正できない場合、途中からではどうすることもできないからです。

たしかに企画の初期段階に、はずれないデザインの戦略を策定してしまうなんていうことは難しいと思われるかもしれません。しかし、コミュニケーションとしてのデザインであれば、人が何を見てどんな風に感じるのか、どんな風に自分たちが見られたいのかという一番根本的なところをきちんと決めておけば、ぶれようがありません。

逆に、すでにどこかの会社がやっていてカッコいいからとか、今はこういうのが流行りなんじゃないかとか、表層的なところばかりを追っているといつの間にか全くコンセプトとずれていた、なんていうこともない話ではないということです。

なぜポジショニングデザインはぶれないのか

実はこのようにポジショニングデザインをお勧めするのには、理由があります。ビジュアルのコンセプト立案というものは非常に難易度が高いという現実や、デザインや美術の専門家と一般人との美意識に大きな開きがあるということなどを考えていくと、表現された世界観がたとえアートとしては優れていたとしても、その価値や意味を理解できる人数が少ない場合、それはビジュアルメッセージとはなりえません。それに対して、ポジショニングの可視化は実に明解です。非常に失敗が少なく、はっきりと結果が分かり、面白いくらいに明らかに「差別化」という情報化時代のキーワードと直接的につながっているからです。

では、ポジショニングデザイン戦略を使って、ＣＩとウエブサイトのリニューアルに成功した企業の事例を見ていきましょう。

コンサルティングの依頼にみえたこちらの企業は、従業員数

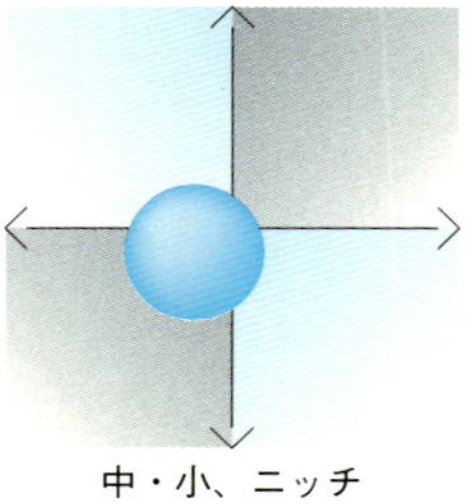

［デザイン戦略のためのポジショニングマップ例］

1000人ほど、創業50周年だそうなのですが、不況下でもなかなか堅実なビジネスをされていて、極端な右上がりということはなくとも、創立以来ずっと地道に成長を続けているそうです。CIを導入したのはちょうど80年代、まさにCIブームのさなかでした。

デザインリニューアルにあたって、三つの課題がありました。

①ロゴマークに時代感があり、今どきの若い人にウケない。
②ウェブサイトが解りにくい（社外の人）
③ウェブサイトが使いづらい（社内の人）

これを同時に解決するために、まずは現状の分析をしています。

すると、ビジネスの強みとしては、衛星やロケットといったビッグプロジェクトを行っているため非常に安定している上に、事業の内容はコンピューターを使った最新のシミュレーションや宇宙

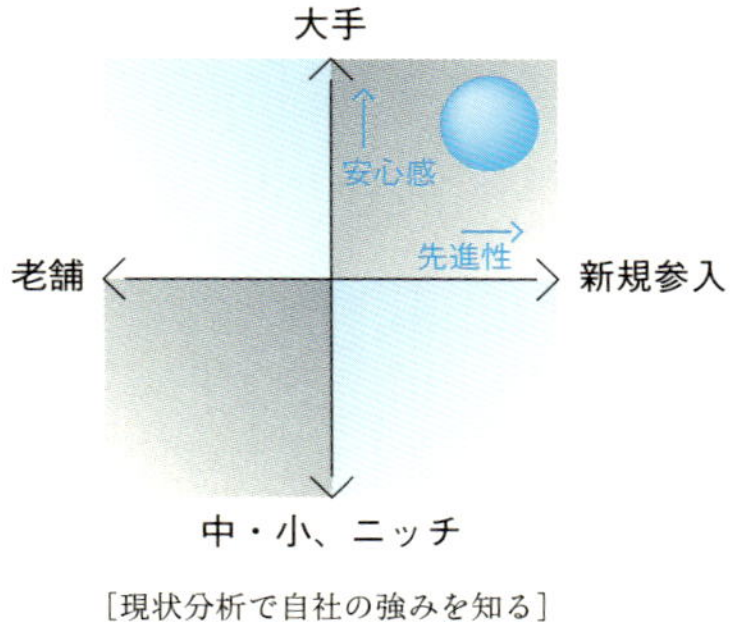

［現状分析で自社の強みを知る］

事業の研究開発などであるということが分かってきました。

これを更に分析すると、企業の印象としては、規模の大きめの会社で先端の技術を扱っているということと、非常に堅実で派手さはないけれど実力派ということが浮かび上がってきました。

この分析を元に行ったデザインリニューアルは無事に完了し、50周年にまつわる行事にもマークのデザインや記念サイトの作成ということで携わらせていただいています。

勝者の戦略？　弱者の戦略？

「梯子の法則」とは、自分が梯子の何段目にいるかによって戦略が異なる、というマーケティング戦略の一つですが、これをビジュアルの立案時に前提として考慮しておくと、今まで説明してきたデザイン戦略が更にセーフティになると言えるでしょう。つまり、梯子の段数を意識する

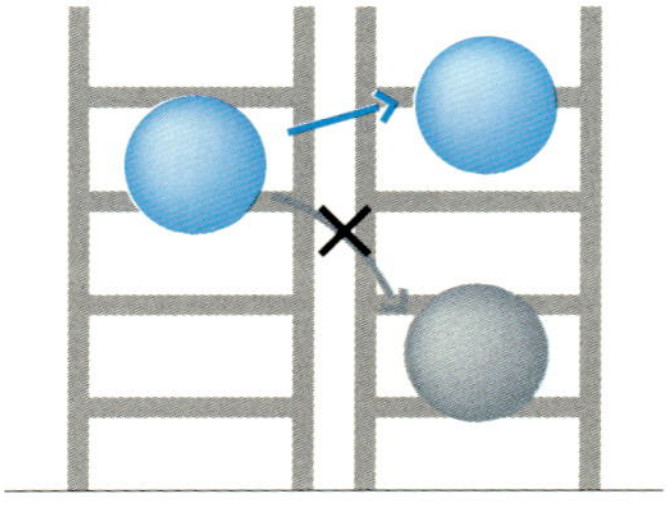

●今、自分のビジネスは「梯子の何段目」にいるかを考慮する。デザインのリニューアル後に、現状よりも段数が下がるようなことがあってはいけない

ということは、デザイン戦略の保険に更に「特約」を付けるようなもの。業界トップであったり、すでに守りを固めなければならないようなものに対するデザインマーケティングと、新規ビジネスあるいは後発のものに対するデザインマーケティングでは、そもそもするべきことが異なるのです。

これは、デザインリニューアル時のコンサルティングや販促の担当者に注意すべきポイントとして必ず伝えていることなのですが、現在の順位がその業種あるいはジャンルで上位にいる場合、何があっても現状より「クラスを下げない」上で新しいビジュアルを取り入れるようにしなければなりません。

上位ブランドは、ブランドを下げるためにリニューアルをしているわけではありません。ですから、最低条件としてまずはそのアイデアが現状よりも上回らなければならないのです。ポジショニングという概念そのものは、もともと差別化しなければならない対象との位置関係に注目しているので、ポジションを変えたい、リニューアルを成功させたいという気持ちが焦りすぎると、ブランド価値を下げてしまうという事態が起こることもあります。過去にさかのぼれば「まさか」と思うようなメガブランドが判断を誤ってしまい、大変なことになってしまったという事例は数多くあるのです。

逆に弱者、つまり二番手以下で追う立場にあれば、別な意味でその立ち位置を認識しておく必要があります。いずれにせよ、強者と弱者、一番手と二番手ではすべきことが異なります。これを、単純に梯子の段数に置き換えておくことはビジュアルイメージを作り上げる場合、特にラフデザインがあがっていざ検証する、という時にとても役立つのでぜひ意識をしてみてください。

ファーストワンかオンリーワンか（ニッチでもブランドになれ！）

やってはいけないことに「真似」あるいは「類似」があります。もともと、人間はものをものとしては認識していません。すでにある記憶や体験から、ものを知覚しています。それはどういうことかというと、マーケティング的に言えば早いもの順にその権利や認識はされているということです。

例えば、今あなたの頭の中にアダムとイブの神話とかじられたリンゴのビジュアルが閃いたとします。けれども、この「リンゴモチーフ」にはすでに意味があるということが分かりますか。そうです、「アップル」です。少なくとも今現在、リンゴのモチーフを「オリジナルで考え付いた」にしても、それは企業のマークのデザインとしてお勧めできるものではありません。安易に何かに似せたものは、あいまいな視覚の記憶として紛らわしいため、下手をすれば訴えられる可能性もあり、前向きなマーケティングにはなりえません。

例えば次の図は、人間の「記憶」が体験によって学習されて「図形」の色や形の意味まで変えるということを示しています。赤・青・緑の丸三つならあなたは何を思い浮かべますか？　少なくとも、丸三つではありませんね。また、人間であればほとんどの人は丸い形を四角い形より「可愛い」と感じます。青い色は「知的」「涼しい」と感じ、赤い色は「情熱的」「熱い」という印象をすでに持っています。あなたが望む、望まないに関わらず色や形を選ぶということは、メッセージを発信している、〇〇派であるということをコミットメントしているというような認識を持っておくべきでしょう。

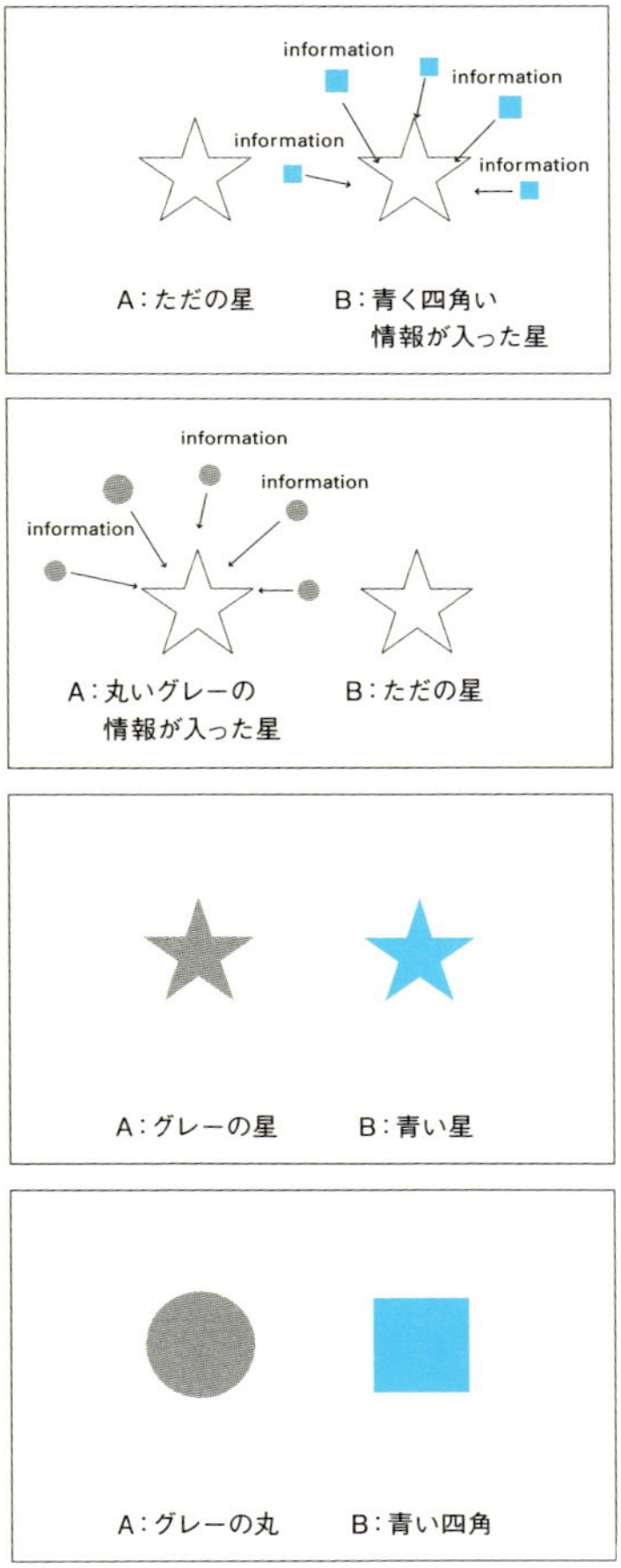

［シンボルマークは意味を持つ？］

「図形」にはもともと意味はない。しかし、ある図形を見て「情報」を思い出すということはある。これはある「図形」に関連する情報について、「図形」で認識しているということを意味する

ブランド上級者はみんなトンマナ使い

私たちが認識しているブランドというもののほとんどのケースにおいては、すでにトンマナがあります。つまり、ブランドそのものを深く知らなくても「アップルはこんな感じ」「ベンツはこんな感じに違いない」となんとなく想像ができます。この想像させる力、これを次章で整理しますが、これが統一感を持てなかったり、ゆるかったり弱かったりすればトンマナが弱く、知覚できるイメージも弱くなります。

逆にブランドが確立されていない商品やサービスであれば、トンマナをきちんと伝えることがメッセージの伝達の上で重要になります。一番よくないのは何も感じないことです。目指すべきは、印象深い体験であり、オンリーワンの存在感です。

例えば、あなたの周りの人で「もの静かな人」のイメージはどうでしょうか。決して騒々しくはないはずです。「明るくて、華やか」だという印象の人はどうでしょうか？　もし、その人が暗い顔をしていたとします。すると、「今日は調子悪いのかな」「○○さん、らしくないね」ということになります。印象を決定付けるには、ぶれない軸を決めてしまうことが先決です。

よく広告業界では媒体をおさえたり、プロモーションの景品を決めるのに夢中になって、視覚情報のディレクションをおざなりにしたりいい加減にしたりするという悪癖があります。これは、「視覚情報のディレクション」という認識がない、あるいは「デザインに対する無関心」が根底にあったわけですが、効率のよいプロモーションや費用対効果を重視するマーケティングを目指すのであれば、今後視覚伝達におけるディレクションは最重要テーマになるはずです。

つまり、デザインをマーケティング活動やブランディングの軸にできるかどうかという境目がここにあります。「ある特別な印象」を持つブランドに育てたいのであれば、ブランディングの軸をいわゆる「ただのレイアウト」や「キャッチコピー置き場」などにしていては、潜在意識を使った戦略も、記憶に残る感動も、大好きという共感も、何も生まれて

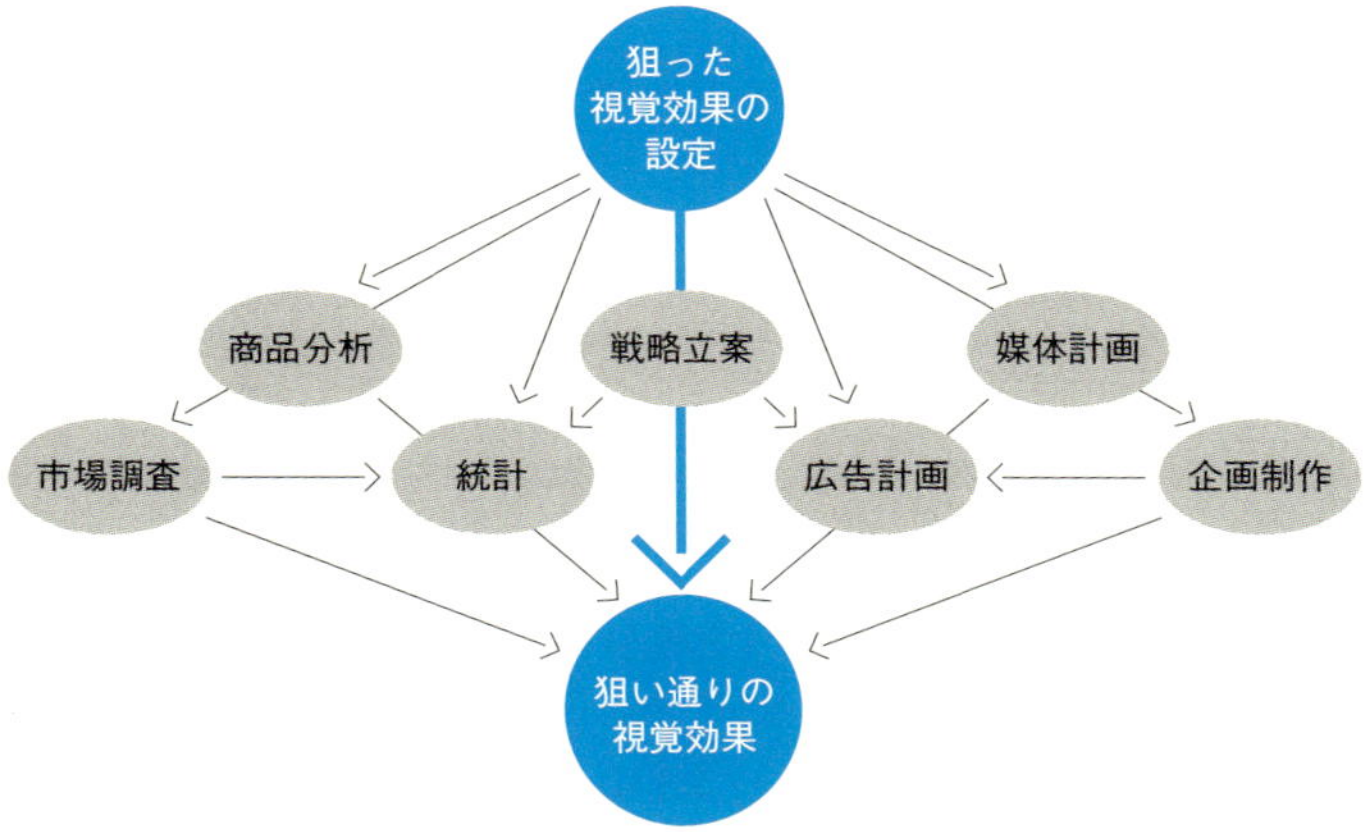

[最大効果を上げる効率のよいデザインマーケティング]

はこないのです。

おそらく一度試してみれば、それがどれだけ意味を持つか、実感できるはずです。実際のところ、どのようなメディアと愛称がよく、どのようにストーリー展開が可能なのかシミュレーションをするにしても、ビジュアルイメージとトンマナができているかいないかで発想の広がりも俄然変わってきます。

トンマナで作れば、デザインはブランドマーケティング

ブランドを育てましょう、効率のよいマーケティングをしましょうと口で言うのは簡単なのですが、実行するとなると皆目見当が付かない。ブランド構築のフレームワークを教えてください、と聞かれることがよくあります。そのため最近は、誰にでもビジュアルを軸にしたブランド構築がイメージできるよう、人気ドラマや映画（特にロングランでヒットしているもの）、あるいはブログを例に挙げて説明をしています。

目指すべきブランド構築の反対側にあるやってはいけないありがちな例が、ブランドを育てずに使い捨てのプロモーションを繰り返すというものです。人気タレントを起用しているけれども、差別化がで

きていない広告もそうですし、もっと事業規模を小さく考えてみると、企業ブランドとは無縁のキーカラーやキービジュアルで長続きしないキャンペーンを打つこともそれにあてはまります。それは結局、「資産としてのデザイン」を意識していないものになります。

それに対して、ブログをある程度時間をかけて書き続け、記事がたまることで書き手のブランドを構築する「ブログブランディング」やロングランのドラマや映画、アニメなど私がよく例に挙げるものでは、「ネタフル（人気ブログ）」「水戸黄門（人気テレビドラマ）」「００７シリーズ（ハリウッド映画）」などが「ログをためることで（回数を重ねることで）イメージが固まる」「ブランドが育つ」事例として分かりやすいものです。

次の図を見てみましょう。まず「水戸黄門」を例に挙げると、ブランドの素であるブランドＤＮＡはまさしく黄門様なのですが、常に「助さん＆格さん」というフレーミングに守られていることによって、そのイメージを強固なものにしています。水戸黄門でなくても、パーソナルブランディング関連の書籍などにもあると思いますが、偉い人は一人ではフラフラしていないのです。これは、「ルパン三世」であれば仲間の次元と五ェ門がいることなどと似ていますし、「００７」であれば、最新のスポーツカーやガジェットが話題を盛り上げていることと同様の認識で構わないでしょう。

次に注目して欲しいのが、ブランドの先端ともなるセールスプロモーションの部分です。実際には、この部分だけを抽出して「マーケティング活動」と呼ぶ人は少なくありません。ここは、ビジネスのキャッシュポイントになったり、ネットワークの中核となる重要な位置付けと考えていますが、ブランドのコアではありません。けれども、ビジネスの刺客とも言えるこのプロモーション活動も本来はブランディング活動。イベントやプロモーションのすべてがブランドに蓄積されていくように、記憶や認識の道筋をあらかじめ作っておくことが、これからの時代のブランド構築の軸になることは間違いありません。

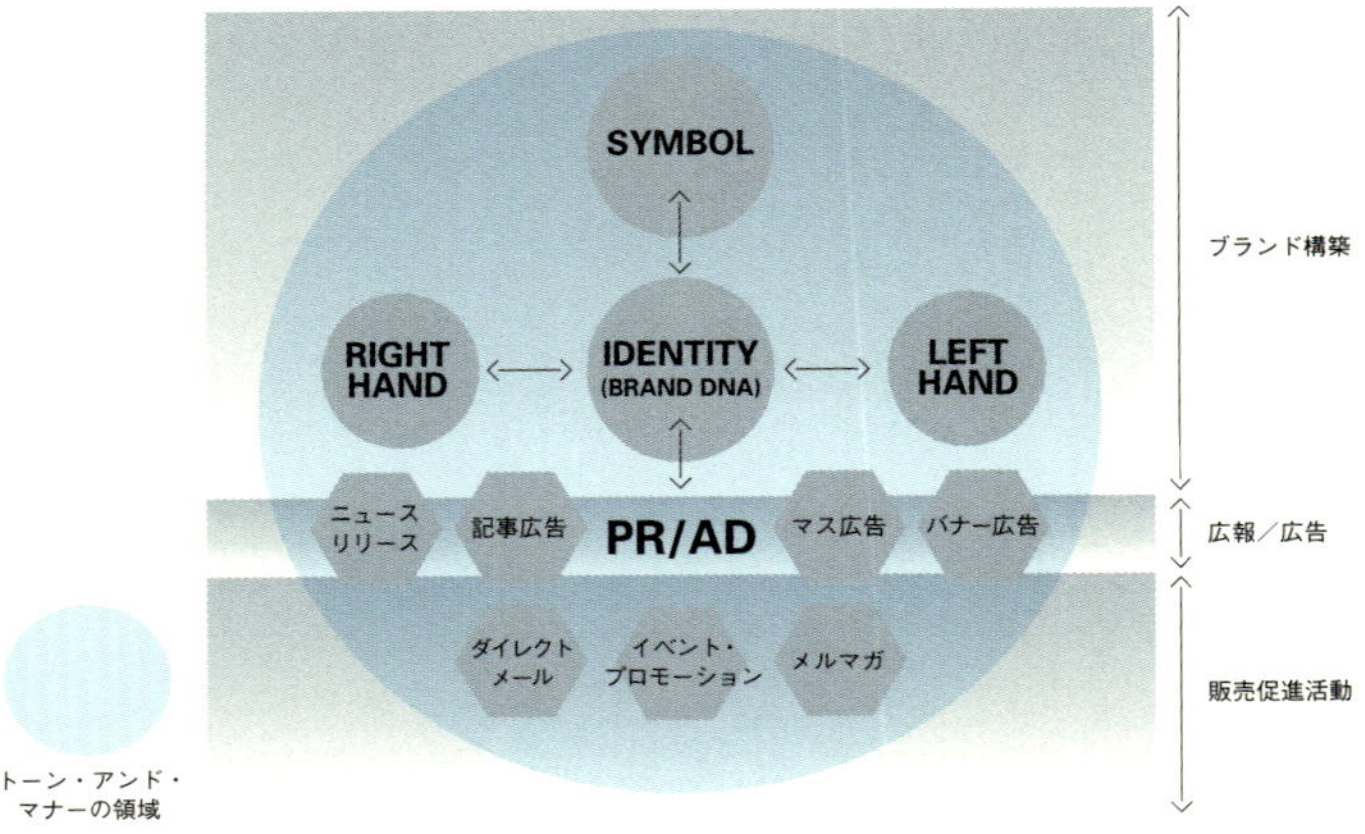

［ブランド構築のためのトーン・アンド・マナー戦略概念図］

Part 2

1

使える、実践デザイン戦略

トーン・アンド・マナーの取扱説明書

トーン・アンド・マナーをデザイン戦略に用いる際には、正しく使うことが重要です。ここでは、まずトーン・アンド・マナーとは何かという概念的な事柄とその役割について説明し、実際に使用するためのツールや事例を紹介していきます。

テストマーケティングを必要としない、無意識に訴える視覚（心理）戦略

さて、たびたび登場しているトーン・アンド・マナー（略称、トンマナ）ですが、この「雰囲気や世界感」の考え方の根底にあるもの、すなわちトンマナの概念について、図を用いて説明をしていきます。

まずは、人間が「何かを見る」ということについてもう一度考

［あなたは目でものを見ている？］

えてみましょう。あなたは今、ある「もの」を見ています。

ところが本当は、あなたは目でこれを見ていません。今までの知識や経験などから、頭で判断してあるイメージを作り上げています。それは「いいイメージ」であることもありますし、「悪いイメージ」であることもあります。

Ｐａｒｔ１から登場している「タイプとクラス」という考え方があります。このタイプとクラスというのは、実は「もの」が持っているものではないのです。あなたの頭の中にある潜在意識としての「考え方」です。

あなたの「視点」で見ているということは、あなたなりの「知覚情報」から判断してものを見ていることを意味します。あるデザインやアートなどは、それが持つ独特の雰囲気を醸し出しています。例えばあなたは、その雰囲気を「いい」と思うかもしれません。でも、別の人は「よくない」と感じてしまう。同じようにあなたは「好き」でも、他の誰かは「嫌い」と感じてしまう。一

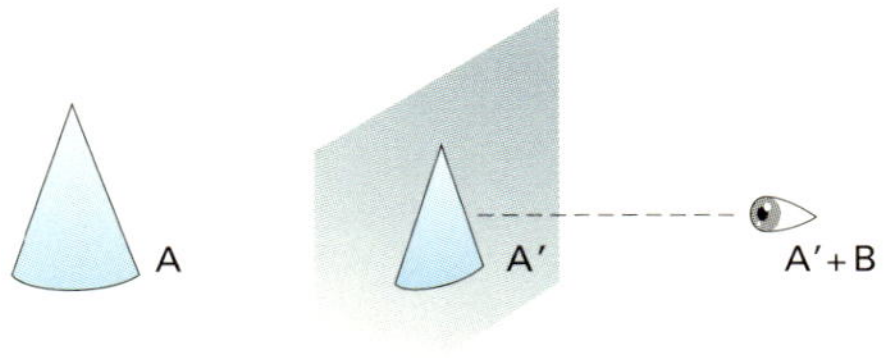

［あなたが見ているものは、あなたの「視点」で見ているイメージ］

つのものに対してこういった評価が分かれるのは、もともと持っている「知覚情報」が異なるからです。

　そして、もともと人が持っている「知覚情報」は、よほどのことがなければ変えることはできません。ですからその「知覚情報」を計算して、もの自体に情報を付加していきます。つまり、人に「知覚」してもらうための「視覚情報」としてトンマナを使おうというわけです。もちろん、もともと、もの自体が持っている雰囲気はあります。しかし、ある印象を意図的に作りたいと思ったら、顧客が感じるようなクラスやタイプをあらかじめ計算して、そこにマッチするデザインを実装すればいいのです。

　ところがもし、お客さんの頭の中の価値観や潜在意識（クラスとタイプ）をはき違えてしまい、自分の勝手な好みやデザイナーの個性に任せてしまったらどうでしょう。

　また、クラスやタイプを考えないでものを作り、作るべき印象とは異なるトンマナにしてしまったら一体どうなるでしょうか。

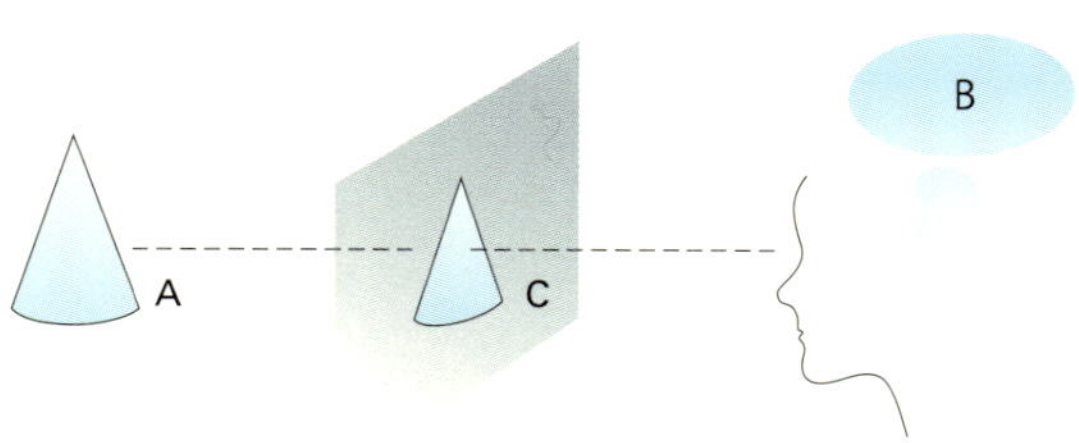

［あなたがすでに持っている「知覚情報」が、見ているイメージを決めてしまう］

人の中にすでにある潜在意識や考え方を変えることは非常に難しいと言えますから（強いリーダーシップを持った人間、例えば、政治家や経営者であれば可能かもしれませんが）、それであれば、自分を、自分のサイドを変えるしかないのです。

デザインやものの価値をそもそも作り手だけで決められないということを考えたら、トンマナだけは決してはずせない、正しい姿で見られるために必須のものだ、ということをお分かりいただけると思います。

それでは、さっそくトンマナを使うための準備に入りましょう。

ポジショニング・マトリクスを作ってみよう

次ページの図は、Ｐａｒｔ１で登場した、企業のポジショニングマップです。これはほんの一例にすぎません。セミナーの参加

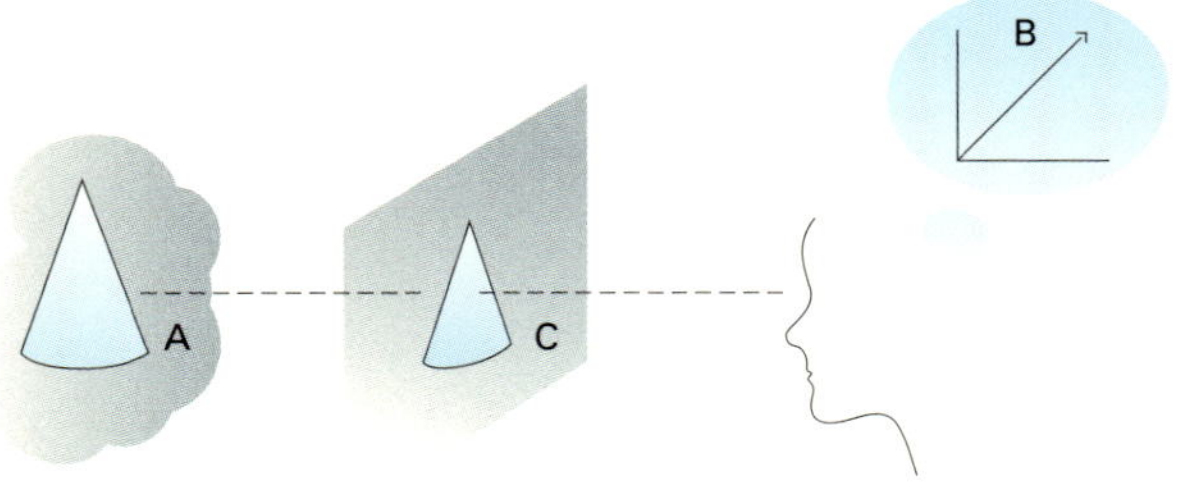

［あなたがすでに持っている「知覚情報」から、クラスとタイプを見て判断する］

者から、ポジショニングマップの二軸が難しいという質問をよく受けます。ここでは、あなた自身が様々な事例に対応できるように、ポジショニングマップのワークシートを公開していきます。

自社が有名企業か、そうでないかでデザインの戦略は変わります（※「梯子の法則」122ページ参照）。また、小さい、無名な企業だということはデザイン作成側からすると足かせがなく、選択肢が多く自由だということになります。

デザインやビジュアルの構成要素のほとんど（タイプフェイスやキービジュアル）には、開発された時代背景というものがあります。老舗には老舗の、新規参入には新規参入の明らかなトンマナがありますから、デザインの戦略として使うかどうかは別として、自社にとってどちらが「見せるべきもの」なのかをあらかじめ決定しておくことは重要です。

では、同じような時代背景を持った企業と差を付けたかったら、どうしたらよいのでしょう？　別の「強み（コアコンピタンス）」

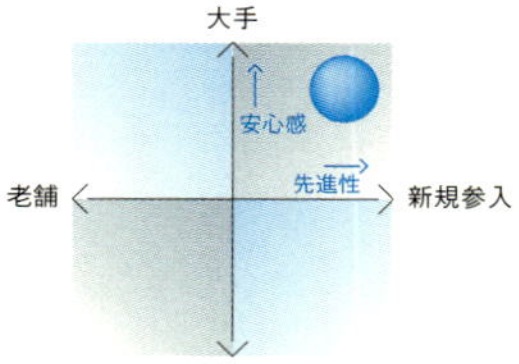

［あなたのビジネスの勝ち目が明らかにある
ポジションを探ろう］

や「らしさ（コアエッセンス）」を探します。

私は以前、ＩＴベンチャー企業の立ち上げや新規サービスの導入に伴う案件に数多く携わりましたが、やはりＩＴバブルの頃は技術訴求の企業が非常に多く、産業として成熟してくると「キャラ立て」や「差別化」を意識した、個性的なオーダーが多くなりました。

検索エンジンのグーグルなどがデザインについてのガイドラインを発表し、人間らしさのデザインを大切にするという宣言をしたのも関係があるかもしれません。

ＩＴ企業と異なるトンマナでは、現在私がコンサルティング中の企業で、古くからのビジネスをきちんと続けているという事例もあります。

こういう会社のデザインは、古くさくしても意味がありません。「古い」「伝統」というキーワードを、「信頼」や「実績」というキーワードに置き換えていきます。具体的には、ＩＴ企業ではあまり

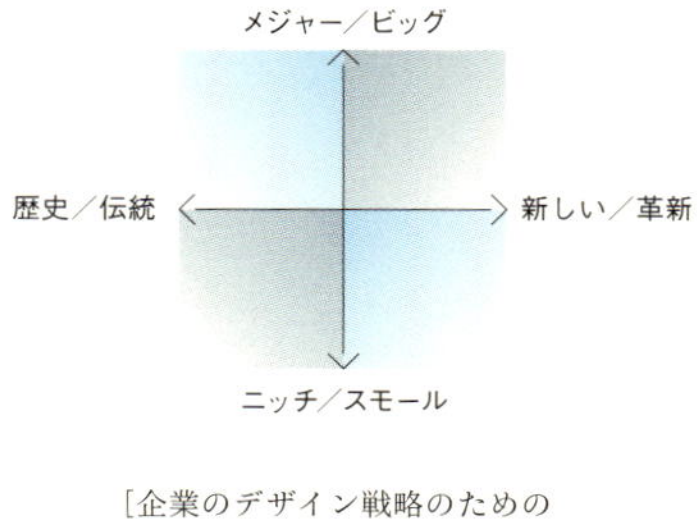

［企業のデザイン戦略のための
ポジショニングマップ事例（1）］

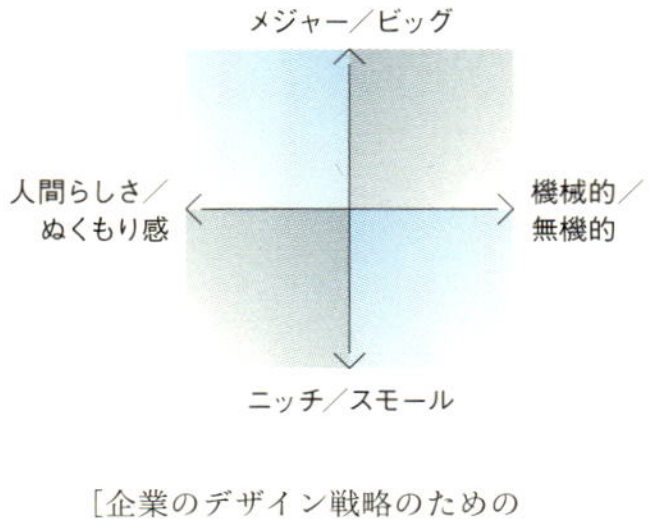

［企業のデザイン戦略のための
ポジショニングマップ事例（2）］

使われないようなエレガントな書体を使ってもいいですし、ひと癖あるテクスチャーを使っていくとグラフィックに厚みが生まれます。フォントにも色にもテクスチャーにももともと「重み」がありますから、こういった「重さ」を感じるものを使うことで時代感を演出することが可能です。また、フォントや色はあえて新しくするのであれば、レイアウトをかっちり目に組むことで、信頼感が演出できます。

そういった古くから実直にビジネスを続けている企業が、戦略としてデザインを使っていく際に、私がよく使っているトンマナは、人の心の中にある「メジャー感」です。

小さなビジネスが成長を遂げるステップにおいて、ニッチからメジャーに飛躍するタイミングでは、デザインの衣替えをしなければならないというケースが多々あります。

もしも、あなたのビジネスが非常に優良で技術力もあり、将来が有望であるならば、一気に多くの顧客に向け、ダイレクトに

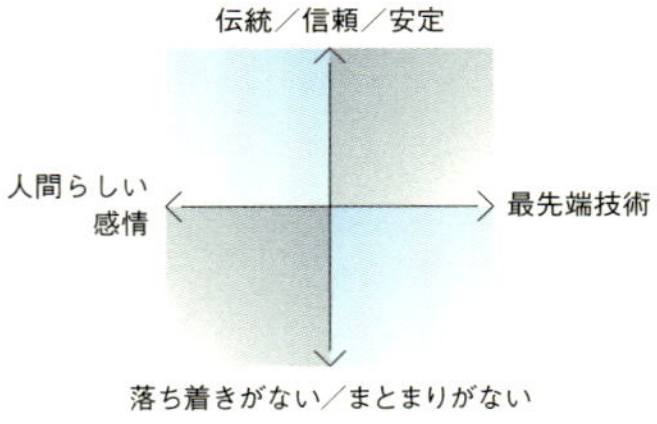

［企業のデザイン戦略のための
ポジショニングマップ事例（3）］

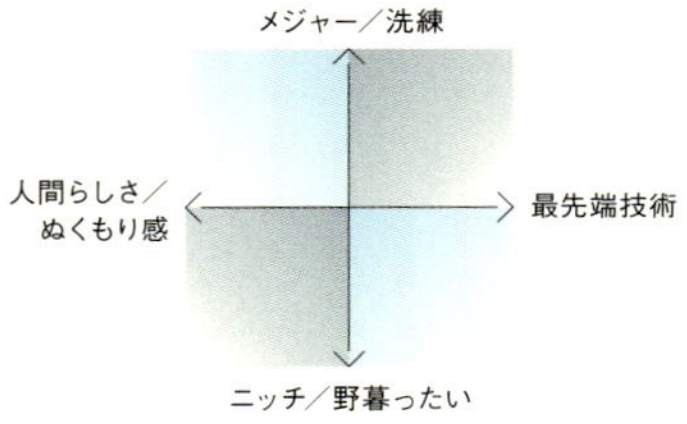

［企業のデザイン戦略のための
ポジショニングマップ事例（4）］

ピーアールするための手段としてデザインをあか抜けさせる、メジャー感のトンマナにチェンジしてみてください。

メジャー感を「大きい」でなく、あけ抜けた「洗練さ」と捉えることで、同じような小規模ビジネスから、一歩抜きん出ることができます。小さい企業のほとんどは、必死で「らしさ」を出そうとします。けれども、お客さんから見れば、それが逆に頼りない「小規模ビジネスのトンマナ」となって見られていないか、よく注意する必要があります。

これ（ＢｔｏＢ）に対してインターネットショッピングはもちろん、対コンシューマー（いわゆるＢｔｏＣ）の場合、その価格帯や商品ラインナップを直感的に感じさせなければなりません。

ある通販化粧品メーカーのコンサルティングをした時のことです。いわゆる「機能的」に差別化できる商品であったにもかかわらず、通販化粧品によくありがちなデザインと医薬品にありがち

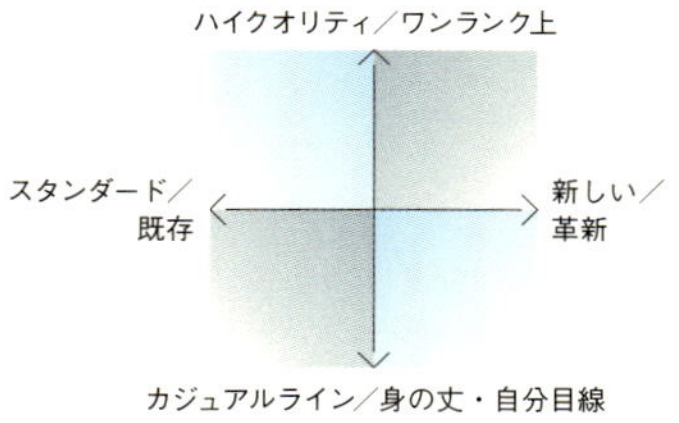

［ショップのデザイン戦略のためのポジショニングマップ事例（1）］

なパッケージという、そんな組み合わせのトンマナを使っていました。

もし、業界内で明らかな機能的優位を持っているのであれば、デザインで勝負をかけるべきです。化粧品業界のメジャーブランドの真似をする必要はありません。顧客にとって「クオリティが高い、何か新しいものがある」「それは、化粧品だ」と認識されればいいのです。今の業界の上のポジション、すなわち大手やメジャーを脅かす存在になってください。そのために、「あなたのためのデザイン」があるのです。

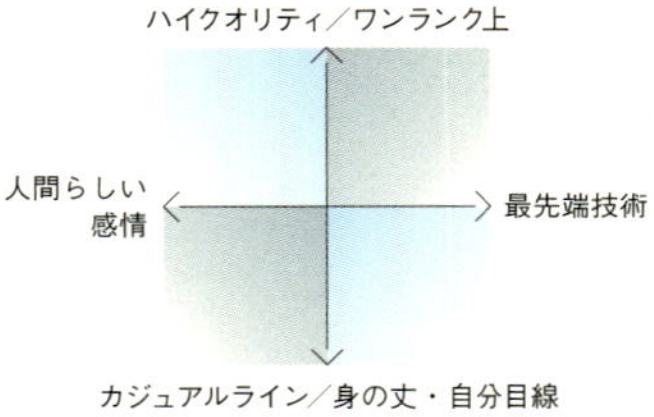

［ショップのデザイン戦略のための
ポジショニングマップ事例（2）］

Part 2

2

実践、トーン・アンド・マナー

―トーン・アンド・マナーを使う

写真を使う

本書では、トーン・アンド・マナーを「そのものの持つ雰囲気や世界感」と定義していますが、ここでは思いどおりの効果を出すために、「そのもの」の構成している要素を分解して考えていきます。具体的には写真やイラスト、フォント、ホワイトスペース、そしてデザインの効果などです。まずは、写真素材から見ていきましょう。

コーヒーカップは、何を語る?

ビジュアルイメージの役割の中でも、トンマナがしなければならない最も大切なことは雰囲気や世界感を伝える、ということはたびたび説明をしてきましたが、「雰囲気や世界感を伝えるって一体どんなこと?」と思う方もいらっしゃるでしょう。

144ページの二枚の写真のタイトルはいずれも「コーヒーカップの写真」です。キャッチコピーは、いずれも「One morning, I drank a coffee.」です。

この写真は同じカップではありませんが、背景やライティング、構図を変えたものです。見比べてみると、どうでしょう。全く別の雰囲気やストーリーができあがっています。これを、視覚のコミュニケーションとして考えたら、この「雰囲気や世界感」は「コーヒーカップ」という名詞よりも多くの情報を持ちます。コピーの補足やちょっとした情報の追加で、更にその世界感は広がっていきます。

この異なる雰囲気を感じ取り、利用するというテクニックは、広告の世界でずっと使われていた手法（すなわちトンマナのこと）です。これは、視覚のコミュニケーションが大きな効果を与えうるということを業界人たちが常に認識していたからに他なりません。

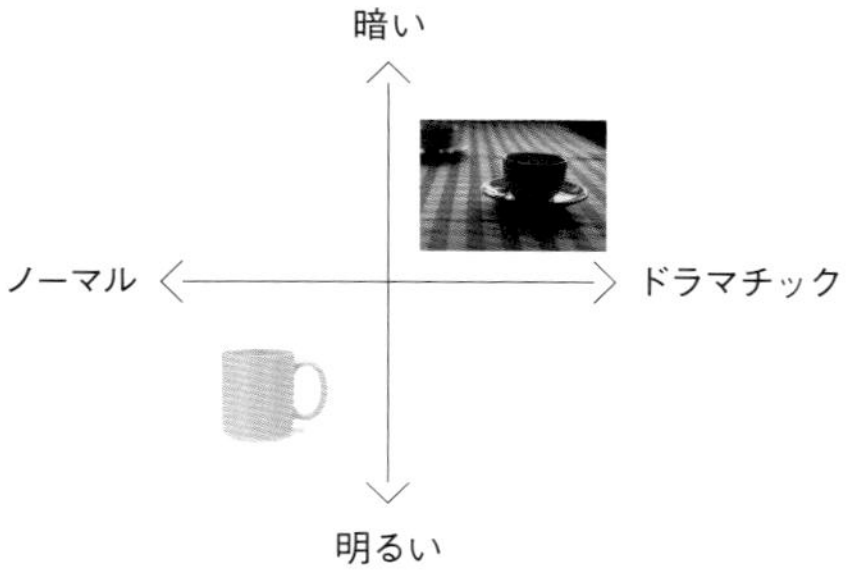

［写真を使うためのポジショニングマップ事例(1)］

Photo by ゲッティ イメージズ（右）

One morning, I drank a coffee.

いわゆる「マグカップ」をものとして捉えた、とりわけニュートラルな切り抜き写真

One morning, I drank a coffee.

「あるマグカップの置かれたカフェのテーブル（の風景）」から、ドラマチックなストーリーを想像させる、情緒感のあるイメージ写真

Photo by ゲッティ イメージズ（下）

ノーマルな写真って何？　ノーマルでない写真って何？

下のワインとグラスの写真を見てみましょう。広告業界や撮影の関係者の人がよく現場で口にする、「ノーマル」に近い状態が左の写真で、ライトはサイドに寄り気味です。右の写真は、全体を赤みの強いライトで照らしたような色味を帯びています。そして何だか「ムーディ」な気配さえ漂ってきます。

「色の印象」は、もともと人の心に強い影響を与えているものですが、「ピンク色」や「黄緑色」などのいわゆる「色相からの色の印象」とは別に、本来の色そのものを再現している状態＝ノーマルな状態と、加工などを施して色調が現物とは意図的に異なっているという違いも判別しています。

「色メガネで見る」という言葉がありますが、これはありのままを見ないで、偏った先入観や個人的な思い込みから見えているものの状態が変化していることを示しています。つまり写真に「色メガネ」をかけること、すなわちその写真の主題を色によって強調することで、プラスアルファの心

［写真を使うためのポジショニングマップ事例（2）］

Photo by ゲッティ イメージズ

の部分が見えてくるということです。

もし、そういった加工をあえてしなくても、主題が伝わればそれは素晴らしいですし、決して写真の二次加工を推薦しているという話ではありません。最近は、フォトショップ（Adobe Photoshop）など、写真データを加工・補正するソフトウェアが定着して、「あとは加工すればいいか」という状況も増えている一方、主題や瞬間を見事に切り取っている写真もあり、それは加工されたものより明らかに素晴らしい存在感を放っています。

本書の冒頭で「人は心でものを見ている」という、アンリ・ベルクソンの言葉を紹介しましたが、「心で見えた状態」とはまさに「視覚によるメッセージ」が心に届いた状態のことであると言えます。そして、雰囲気や世界観とはまさに、「で、心はどうなっているの?」という部分の強力なメッセンジャーなのです。

ドラマチックにライティングはしてあるけれども、特に色補正などはしていない（ノーマルな）ワインとグラスの写真

オレンジ味の強い、ムーディな補正をされたワインとグラス。上の写真の見比べると、「単なるグラスの写真」ではなく、その前後にある物語を彷彿とさせるようなセッティングになっている

Photo by ゲッティ イメージズ

見えにくいものを、しっかり魅せるためには？

私は、「食べることが好き」だったのとやはり女性だったからでしょうか。以前、食品や調理器具関連デザインで、「シズル写真（料理ができたてのアツアツ感やビールの泡がグラスにあふれんばかりの様を再現するような食欲をそそられる写真）」の撮影の仕事をよく行っていました。

スタジオにはキッチンがあり、料理専門のスタッフがいました。具材については、撮影1カットのために通常の何倍もの量が用意され、来るべき一瞬を待ちます。切り取るべき一瞬がとても短いことや様々な偶然が必要なことなどから、撮影はたいてい大掛かりになり、よく深夜まで立ち会いをしていました。高い費用と手間を掛けて撮影するもので、まさにカメラマンの腕の魅せどころといったジャンルだと思いますが、このシズル写真にはいわゆる「見えに

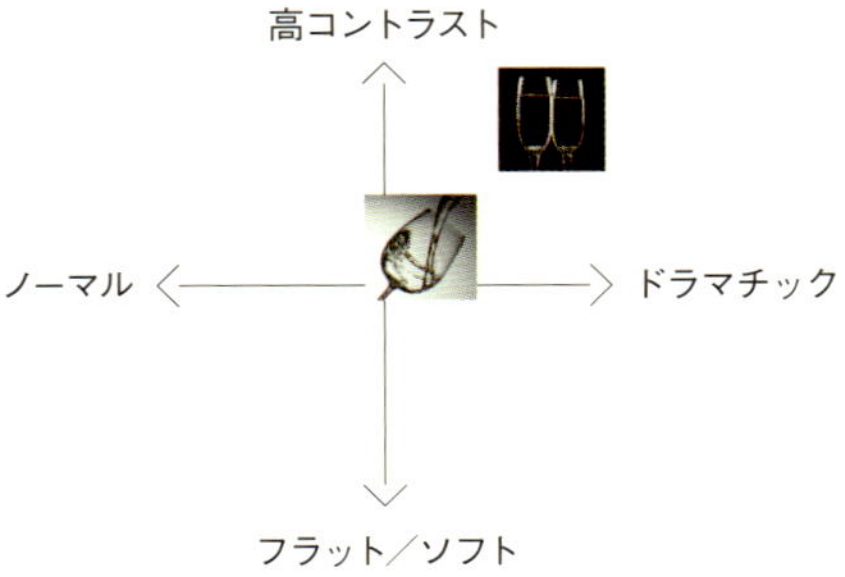

［写真を使うためのポジショニングマップ事例(3)］

Photo by ゲッティ イメージズ

くいものをしっかり魅せる」という使命があります。

左の写真は、シズル写真の一種になりますが、グラスに水を注ぐ瞬間という見えにくいものと、シャンパンの泡という繊細な見えにくいものを扱っています。

どちらも特徴として言えることは、見えにくいものを魅せるためによりコントラストをはっきりとさせているということです。コントラストをはっきりさせるということは、背景と対象をはっきりさせるということです。それは、つまり「白黒はっきり付ける」「白黒付ける」ということになります。

グラスや注がれるドリンクの質感を再現するために、堅い光（強い光）を当てて、シャドー部をよりはっきりと見せている

シャンパンの気泡など、肉眼でもよく見えづらいものを魅せるために、黒い背景にして、グラスの縁や気泡にフォーカス（視点が集中）するようにしている

Photo by ゲッティ イメージズ

誰のための写真？　何のための写真？

写真というものは同じ道具を使っても、撮る人、撮る状況、撮る気持ちで全く結果が異なります。広告の現場でよく困ったことは、撮影のコンセプトが決まっていない状態で、カメラマンがすでに決まっている場合です。実際にコンセプトが決まってみたら、実はあまりそのジャンルが得意ではないカメラマンだった場合もあり、その時は本人も困惑されていて、現場は大変混乱しました。

有名、無名に関わらずクリエイターには、そもそも得意ジャンルがあります。この専門性を表す言葉で私が好きなものは、「畑」という言葉です。どこを耕し、何をずっと収穫してきたかで、カメラマンで言えば「撮れる（穫れる）」ものが違うのです。カメラの場合、「畑」の一番は「ライト」です。ライティングで、ものの見え方は全く変わります。

左に食卓まわりのモチーフを例に、マップを作ってみました。リアリティのある世界を魅せたいのか、絵のような不思議な世界を魅せたいのかは、「コンセプト」次第。どちらがいい悪いという話ではないのです。

写真もデザインと同じように、一番、二番を争うものではありません。適材適所に、狙いを定めて使うことが重要です。ここでは、いわゆる「ぶつ撮り」（商品撮影）の話に片寄っていますが、人物写真は、更にコンセプトが重要であるということは言うまでもありません。

［写真を使うためのポジショニングマップ事例(4)］
Photo by ゲッティ イメージズ（上から6点）

グラフィックを使う

コンセプトが伝わる写真をキービジュアルに使うという選択は、視覚コミュニケーションにおいて非常に有意義な手段であることは間違いありません。けれども、少ない予算で新たに高品質の撮影をするのはなかなか大変ですし、ストックフォトなどの既にあるイメージ写真では、コンセプトにぴったりと合わず妥協を強いられる時もあります。それであれば、テーマに合わない中途半端な写真を使ってイメージを台なしにしないために、むしろトンマナを意識した「グラフィックイメージ」を採用してみましょう。

写真から作った、グラフィックイメージ

おいしさを写真で魅せる手法がシズルやリアリティなのですが、魅せたいものがシズルやリアリティを持たないのであれば、より特徴的で絵画的な方向に向かっていきます。ここでは、写真からオリジナルのグラフィックを作っていく方法を紹介します。

昨今のグラフィックソフトのほとんどには、写真を加工変換してくれるフィルタという機能が付いて

います。次ページのサンプルは、フォトショップＣＳ３で①のオレンジの写真を②チャンネル操作、③フィルタ（スポンジ）加工、④スポンジフィルタに更に二種類のフィルタを使い色相変換したものですが、加工したものの印象はどれも似ています。

簡単な操作なのですが、元絵のセレクトや加工のテクニック、調整次第で、新しさや主催者の人となりを感じさせる販促に活用することができます。モチーフである果物よりも「質感」や「色彩」のほうが印象に残るからです。

つまり、写真の加工をしたことで魅せるべき主題を「果物」から、特徴的な「質感」や「色彩」に変更していることになります。特徴的な「質感」や「色彩」が新しさを表していれば、たとえモチーフは同じオレンジの輪切りでも、絵の主題は「新鮮さの再現」ではなく「斬新さの表現」になります。

このようにあえて具象（果物）ではなく、抽象（鮮やかな配色）表現をすることでコンセプトの存在を際立てていくことが可能になり、グラフィックの出来次第ではインパ

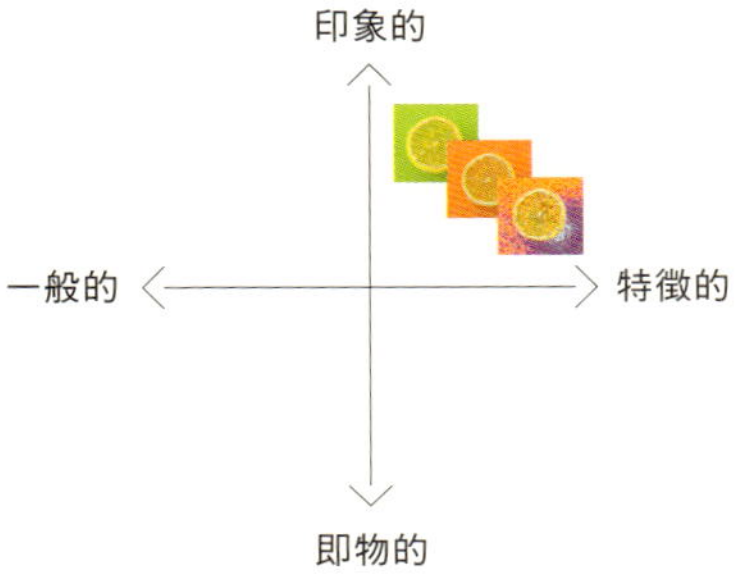

［グラフィカルなモチーフを使うための
ポジショニングマップ事例（1）］
Photo by ゲッティ イメージズ

クト（鮮烈な印象）を与えることもできます。

「何となく華やかで、カッコいいからウォーホール風に」などと安易にコンセプトを決めてしまうプロジェクトも中にはあるかもしれませんが、できるだけ「その表現を選択する理由」に目を向けておくべきです。

① ベース画像

② ①をチャンネル操作したもの

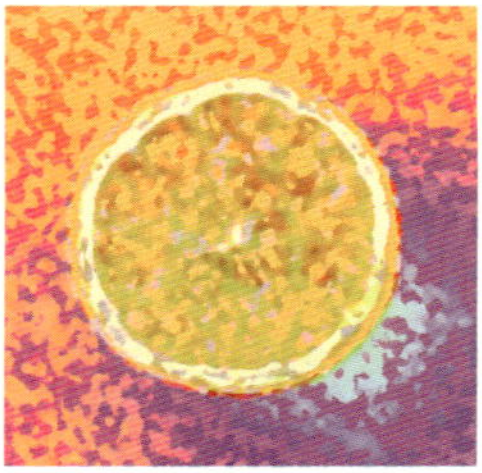

③ ②をフィルタ（スポンジ）加工したもの

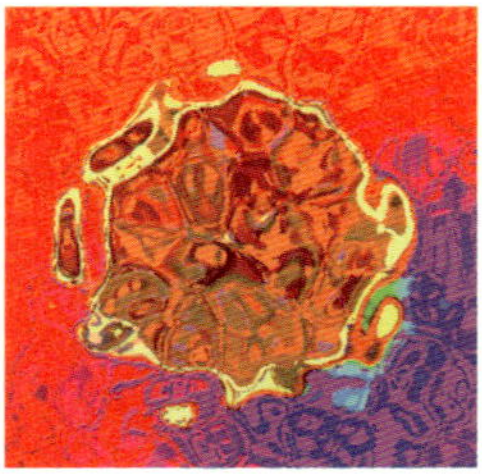

④ ③に更にフィルタを加え、色相変換したもの

Photo by ゲッティ イメージズ

図形や線から作ったグラフィックイメージ

一方、コンセプト重視というよりも「あしらい」的な意味でよく使われるグラフィックに水玉やストライプがあります。158ページの図で上のほうは爽やかさを感じる淡い色使いで、下にいけばいくほど、配色を複雑にしています。

水玉というのは、そもそも女性のためのエレガントでキュートなモチーフです。しかし、円弧の数を増やしたり、配色を複雑にしたり、円の大小を付けてランダムに配置することでトンマナが現代的にがらりと変わります。水玉には、もともとレトロモダン（古くて懐かしいイメージだけれどもこじゃれた、粋なイメージ。アナログモチーフをあえて現代的に使う手法）のような雰囲気があります。レトロモダンの雰囲気を出すなら、この水玉やストライプはもってこいなのです。

ちなみに先ほどのアプリケーションを使用したグラフィック

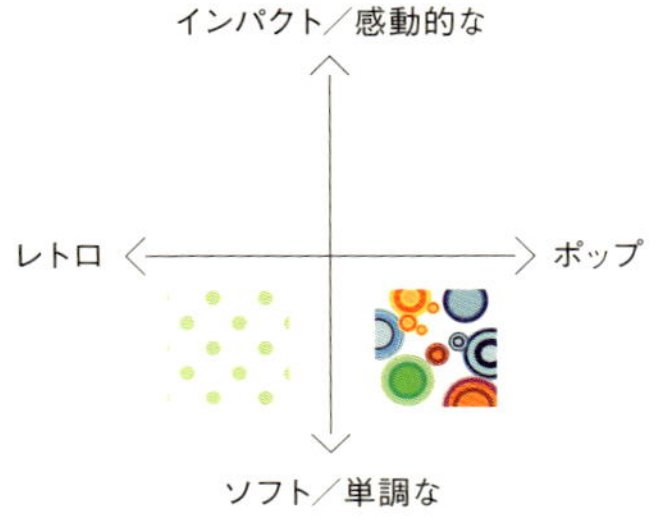

［図形や線から作ったグラフィックのポジショニングマップ事例］

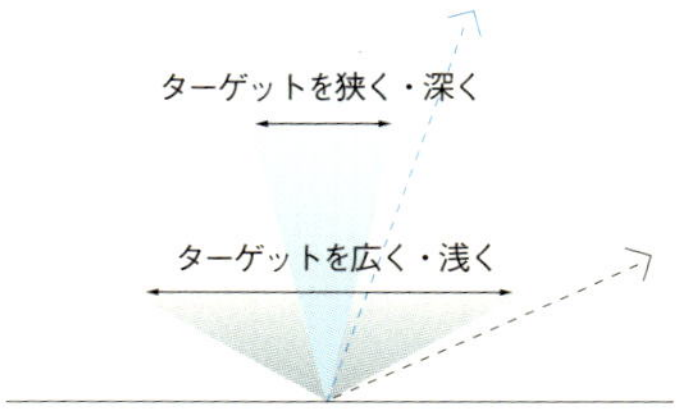

［ターゲットを広く取るために、ストライプや水玉は有効な手段］

が「人を選ぶ」グラフィックであるならば、水玉やストライプは「多くの人に受け入れられやすい」グラフィックです。そしてなるべく多くの人にすんなり受け入れられたい、けれども古くさいのは嫌で、かつトレンドはおさえて……という企業にとって、これらのモチーフは人気があります。

以前、実用手帳の表紙のデザインをよくやっていたのですが、ターゲットとなる層の年齢が高めで、女性より男性が多いことなどから、大人っぽいストライプやタイプに片寄りすぎないクラス感のあるグラフィックを提案していました。このような仕事でよく実感したのですが、例えば、ちょっと仲間うちで流行りのトンマナがあり、デザイナーがどうしても作りたくなってしまって「ちょっと女性的な感じで若いけど可愛いからいいかなぁ」などと思いながら提案してみたところで、流行っていようが、制作者が可愛いと思っていようが、通った案というものはありません。色やデザインにはすべて、明らかにターゲットに受け入れられるもの、受け入れられないものがあります。

あたり前ですが自分が作りたいものではダメで、お客様に喜んで気に入ってもらえるものを作ることが大切です。それでいてかつクオリティはプロの仕事で、制作者のセンスを魅せながらデザインのよさを感じてもらわなければいけないのです。

ウジパブリシティーでは、鮮やかなカラーのストライプのバリエーションを少しずつ改訂しながら、10年以上自社のブランドのデザインに使っていますが、名刺交換の時に「あ、この名刺の色と柄は覚えています。以前名刺交換しましたね」と、先方が気付いてくれるということがよくあります。

個性的で鮮烈なデザインの名刺であれば、多くの人と名刺交換をする交流会やパーティでもその力を発揮します。それは、文字ばかりの名刺よりも記憶に残りやすいからです。私の事務所のお客様は、堅い職業の方やデザインにものすごく詳しいという方ばかりではないので、過激さや削いだイメージはあえて強調しないように調整しているのですが、色の印象というのは多少冒険していても、「鮮やかな色だ」「美しい配色だ」と感じ取ってもらえることができます。デザインの経験値とは異なり、どんな人にでも鮮烈な印象を与えることができるのです。

スタッフやパートナーについてもこの鮮やかなストライプを好む人が来るので、明るくてさっぱりとしていて、芯の強い美人タイプという感じの人がよくアプローチをしてくれます。スタッフ同士でよく話していますが、クライアントの女性の美人率も非常に高い。ですから、女性の優秀な社員がなかなか集まらないとご相談に来られる企業担当者の方には、「企業のデザインが（美人）女性を引き付けるデザインになっていないからですよ」とお伝えしています。デザインのフィルタリング効果とマッチング効果は、本当にてきめんなのです。

シンプルな普通の線（ライン・ストライプ）や円（ドット）に変化を付けること、すなわちランダムさや複雑さを付け加えることで、印象はレトロモダンへと一変する

タイポグラフィーの可能性

書籍の後半で、フォントのトンマナについては再び詳しく触れたいと思いますが、ここではフォントをグラフィックのパーツ（図案の一つ）として考えた時に展開できる事例をお見せします。

左下図のサンプルは、ヘルベチカ（Helvetica）という書体を黒い背景にごく単純に並べたもの（①）です。もともと、この書体は均衡よく作られているために、パターンとしても非常にバランスがいいのです。では、逆にガラモンド（Garamond／②）やパラティーノ（Palatino／③）といった書体を使ったらどうでしょう。とてもエレガントになります。セリフの付いた欧文書体であるガラモンドやパラティーノがエレガントに見えるように、トンマナは、ほぼ90パーセント以上、使う書体に影響されます。

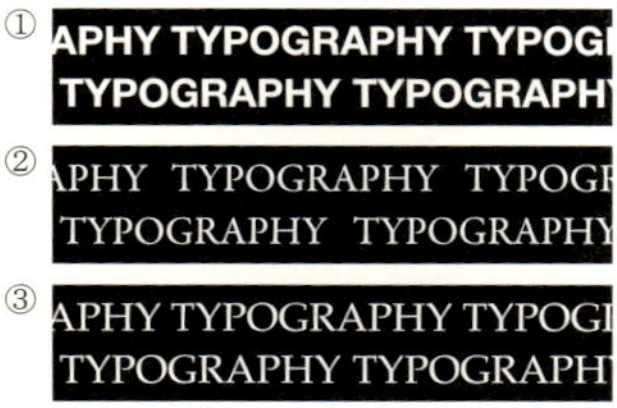

TYPOGRAPHYという文字を３種類のフォントで組んだサンプル。フォントには、「その書体の持つ雰囲気や世界感」がもともと存在する

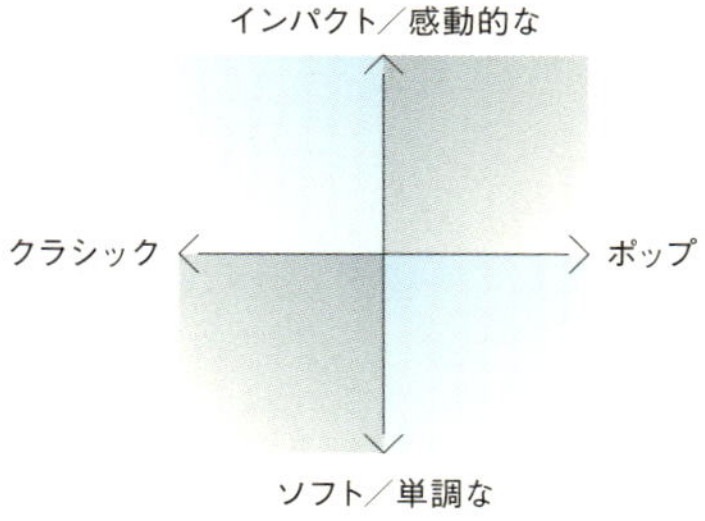

［タイポグラフィーのポジショニングマップ事例］

そして、残りの10パーセントで何かできるかというと、色（配色のイメージ）、レイアウト（並び方、大きさの強弱）の調整になります。それを示したのが左のサンプルになります。

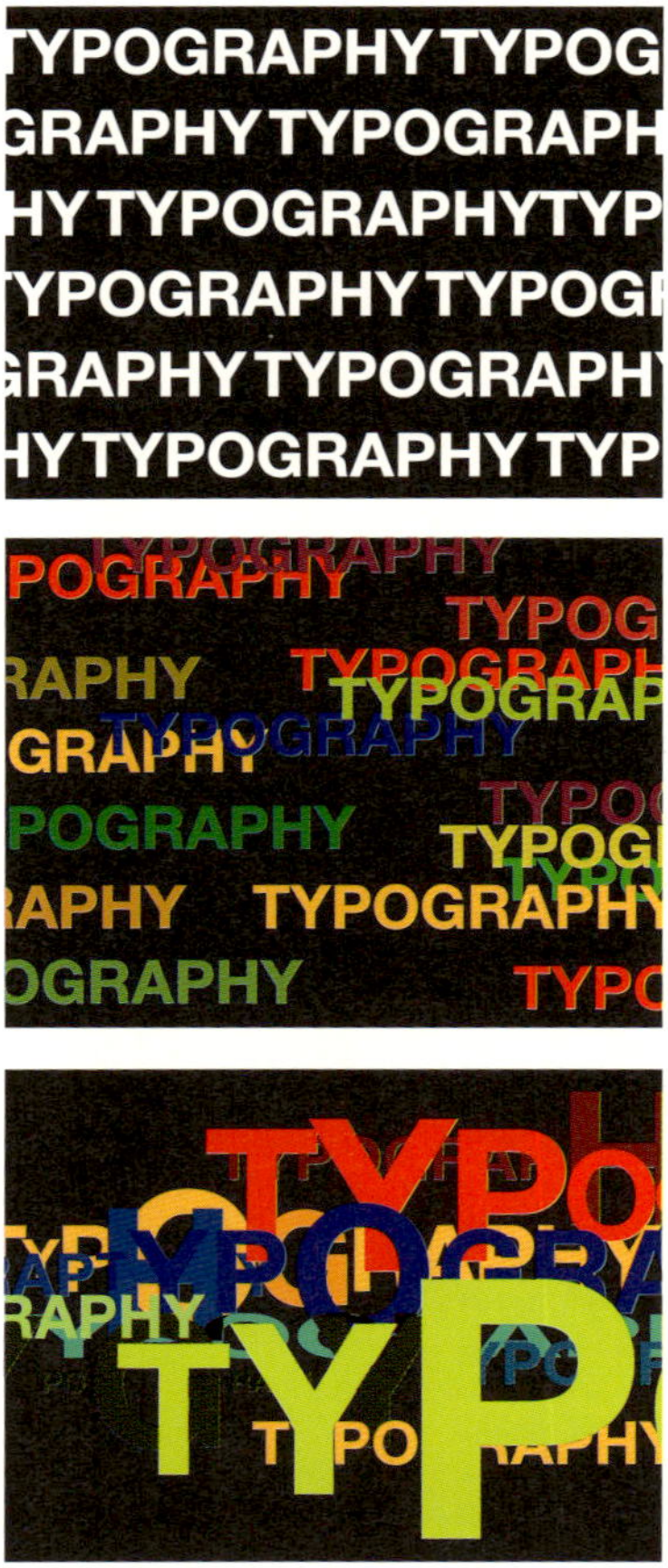

ヘルベチカのように、癖がなくシンプルなデザインのフォントでも組み方や配色を変えていくことで、ダイナミックで動きを感じるデザインを表現することができる。このケースでは、ヘルベチカという書体がシンプルであるからこそ、人の目が配色やその動きに注目するようになる

グラデーションやブラシを使う

　よく、デザインの打ち合わせの席で、「WEB2.0風のトンマナというか、そんな感じに」などというリクエストがあったりするのですが、これは、透明感があってきらりと輝いていたりするような、鏡面などの反射を模したエフェクトのことを指している場合が多いです。ウェブサービスの企業が使い始め、それから似たトンマナのロゴをよく見掛けましたが、現在ではホームページのアイコンや紙媒体のパンフレットなどにも頻繁に使われています。

　こういった表現は、やはりテクノロジーやツールの進化が成果物（でき上がった原稿）に大きく影響を及ぼしていると言えます。アップル社の米国での新製品発表会などでは、必ず印象的なプレゼンテーションが行われますが、文字は極力少なく美しいグラフィックや分かりやすいピクトグラムを使い、内容は

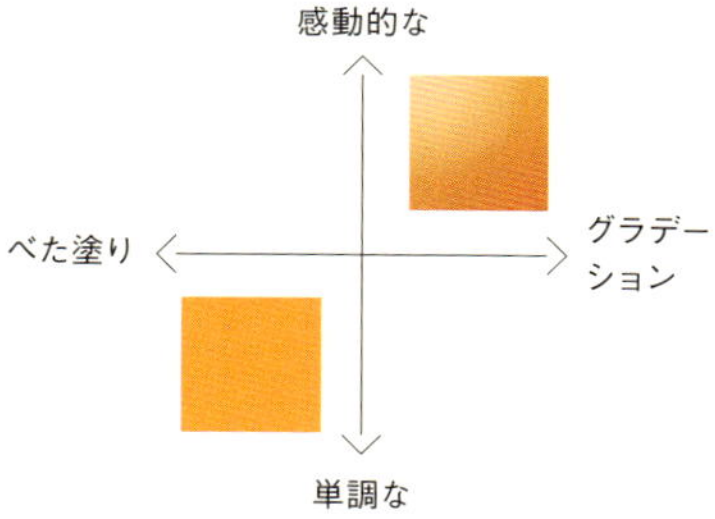

［グラデーション効果のポジショニングマップ事例］

もちろんプレゼンそのものが印象的です。

その理由の一つに、プレゼン資料の背景のグラデーションがあります。これは、もともとフラットなイメージのあるプレゼン資料に（発表する側から仕込んで）あたかもライティングを施しているように見せる効果があります。照明は舞台でも映画でも最も重要視される部分です。エンターテイメントを知りつくした、アメリカ企業らしい小さな仕掛けとも言えます。

他にも、プレゼン資料などに使えるグラフィックとしては、便利なブラシやパターンなど有料なものから無料なものまで様々なものが出回っていますが、それを使うことで表現はどう変わるのかということを、計算した上で使うことが肝心です。それは、手に入れやすく見慣れたモチーフというのは、すでに何か別の「アイデンティティ」を持ち合わせている可能性が高いということを考えると、安易に多用するというのはやはり危険だからです。だれか別の人になってしまわないか、すでにネガティブなイメージが付いていないか、など注意が必要です。

セルフライト効果が期待できる、微妙なグラデーション

カリグラフィ（毛筆）ブラシとグラデーションのドラマチック効果

水彩アートブラシ、クレヨン画ブラシなども数多くある

イラストやキャラクターを使う

グラフィックイメージについては、ターゲットを狙って訴求する場合に特に適している手段であると言えます。選択するグラフィックによってターゲットを狭くも、広くも取ることが可能です。ですが、ターゲット訴求というよりもむしろ、自社のサービスや個性を表現したい、可視化したい、記号化したい……というニーズもあるでしょう。そのような場合に、イラストやキャラクターは大変に適しています。

ピクトグラム・アイコンを使う

一昔前、正確に言うと20年程前まで、ピクトグラムやアイコンというものは線画のイラストを指していました。当時、ロットリングという製図用のペンと定規、コンパス、それから雲形定規という製図道具を使って、厚トレ（厚口のトレーシングペーパー）に、デパートのレストラン街のアイコンをせっせと作った思い出があります。約２００パーセントサイズの原画を作り、紙焼きという写真の引き伸ばし機のようなもので、版下（印刷用の原稿）のサイズに合わせて縮小します。そして、それを糊（ペーパーセメント）で、版下の台紙に貼るのです。

ですから、アイコンを作るというのはとても手間の掛かるものでしたし、実際に版下やデザインにおこす前に打ち合わせやスケッチを入念にしたものです。

けれども、マッキントッシュ（いわゆるＭａｃ）の登場で世の中は変わりました。雲形定規で自由な曲線を描くのは至難の業でしたが、ベジェ曲線を使えば、何でも描けます。すると、マッキントッシュを使った自由な曲線を使ったものばかりになりました。そのうち、シャドー（影）が付けられるようになるとドロップシャドーは大流行、透明ボタンがはやると透明ボタンが大流行……といった感じになりました。

ｉＰｈｏｎｅの登場で、更にアイコンデザインの主流は立体感や光沢感のあるものになりました。これらは、フリーのリソースとしてもインターネット上で気軽にダウンロードもできるからです。

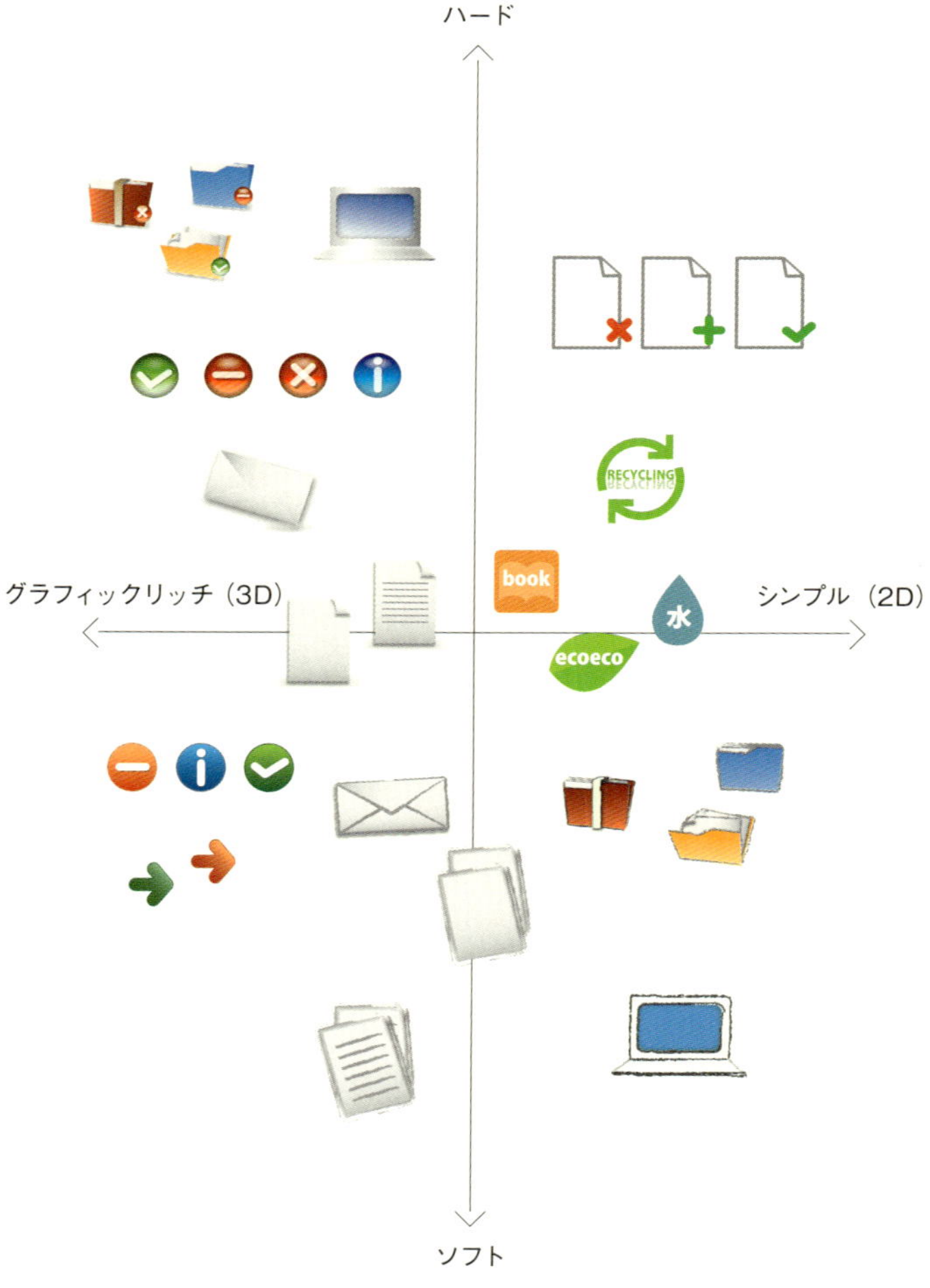

［アイコンにもトンマナがいろいろ］

イラストのトンマナ

ところが人間とは不思議なもので、どんなに「かっこいい！」と思っているものでも出回りすぎると飽きてしまいます。ですから最近では、その真逆のトンマナ、つまり手描きのアイコンをよく見掛けます。どうでしょう？　歴史はぐるぐる回っているように感じませんか？

つまり一番大切なことは、何が流行っているかとかカッコいいかということはもちろん、シンプルにしたほうがいいのか、透け感や光沢感にこだわったほうがいいのか、を意識することです。自社のサービスの立ち位置などもよく検討した上で、全体のトンマナを理解しておくことです。

たとえフリーアイコン画像が手に入ったからといって、何も考えずに使ってはいけません。「こうなりたい」というゴールをまずはきちんと定めること。ゴールが「今時のＷＥＢ２.０風」「ｉＰｈｏｎｅ用のアプリケーション風」だったら、半透明だったりガラスのように光っていてもよいでしょう。しかし、コンセプトが「シンプルで分かりやすく」というものだったら、わざわざ立体にしたり影を付ける必要はありません。

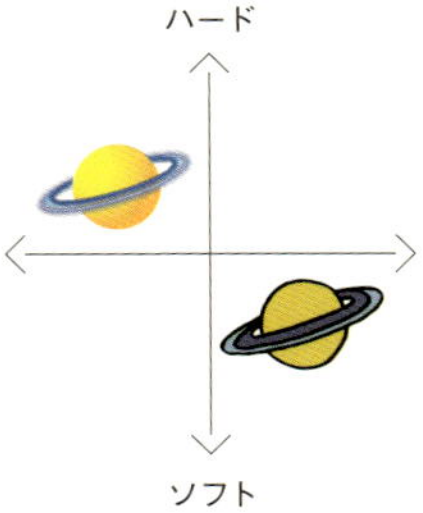

同じモチーフ（絵の題材や素材のこと）でも、描き方（タッチやトンマナ）で人に与える印象は大きく変わる

1. 手描きスケッチ

全体に柔らかい雰囲気になるが華やかさに欠ける場合もある。挿絵や説明図に

2. 手描きスケッチ+着彩(ラフなタッチ)

1と似ているが着彩の際の筆のタッチや配色のイメージで味わい深くも、軽やかにもなる。

描き手のタッチは出やすい

3. フチ取りイラスト

ブローシュア・パンフレットのイメージカットから、説明図などまで多岐に使用可能。描き手のタッチは出やすい

4. ベクター（vector）イラスト

グラデーション効果や立体効果で華やかになりやすいが個性が出にくい。更に、3Dイラストという発展の仕方もある

キャラクターを作る前に確認しておきたい、四つのトンマナ

キャラクターによるデザイン戦略は、アイコンやアバターなどと同じように今後ますます活発になると考えられます。

莫大な予算を使ってマスメディアの広告が作られていた時代には、キービジュアル（販促や広告の中心になる基本の絵やデザイン）に写真を使うことはよくありました。大掛かりなロケを組んで、セットを作ると数千万円から数億円単位の広告費が元気よく動いていたことでしょう。しかし今後、限られた予算でプロモーションを実施していく上では、アイコンやアバター、キャラクターなどメディアを選ばずに展開がしやすいキービジュアルが重要視されます。メディアニュートラルな考え方を常に根底において、デザインやツールを作る必要性があります。

ウェブサービスのために考えているものであっても、紙媒体への展開はいつでもできるように、作り始める前に計画をしておきましょう。また、どのような意図で、どのような展開があるのかも事前に考慮しておくことや、そのサービスや企業のコンセプトとの整合性も重要です。

これは、例えば世界中で人気の「ポケモン」と、愛・地球博のキャラクター「モリゾー」（個人的には非常に好きだった）などを見比べてみると分かりやすいでしょう。「ポケモン」は仲間や登場人物が

沢山いて、アクティブなシーンもたくさん出てきます。新幹線や飛行機のキャラクターにもなっていましたが、このように線や色がはっきりとしていれば、オリジナルのイメージを保ったまま、様々なシチュエーションにも合いやすいのです。それに対して、「モリゾー」は、絵本やレターセットなどにはとても合いますが、アクティブに動いたり説明をしたりするのは難しいですね。どちらかといえば、「居てくれるだけで嬉しい」「和むなぁ」という感じではないでしょうか。

私の知り合いのイラストレーターで、スポーツチームのキャラクターデザインをよくされている大塚朗さんという方がいるのですが、この方のデザインされたスポーツチームのキャラクターはやはりとても表情が豊かで、動きもはっきりとしています。

実はこの方は、ソフトなタッチのイラストも得意なのですが、スポーツクラブなどのキャラクターを作る際には明らかに「キャラクタリスティック」（特徴的）にデフォルメをしていることが分かります。

販促の現場では、「担当者の好み」や「担当者のつてで」などの理由でイラストやデザインが採用されてしまうこともありますが、そういった選択の仕方は、キャンペーンの可能性を自らの手で狭めてしまうことがあるということを覚えておきましょう。

キャラクタリスティックに、線や色がはっきりと表現されているもの

東海大学バスケットボールチーム / 2006
"SEAGULLS"
2005年 インカレ優勝記念用グラフィック
大塚 朗（SUNDAYS GRAPHICS）

手描きのタッチや柔らかい雰囲気を再現したもの

サーフ系アパレルメーカー / 2005
オリジナルキャラクターブランド制作
大塚 朗（SUNDAYS GRAPHICS）

イラストやキャラクターを作るのにも、方向性やポジショニングをきちんと考え、また、その後の媒体展開の種類や規模などもきちんと把握しておくことが大切です。もちろん、キャラクターの使用がスタートする時には、あまり大きな展開が見えていない場合もあるでしょう。しかし、逆に「大きく狙いたい」というような計画が少しでもあるのなら、最初からトンマナをおさえた戦略的な企画にしておくべきです。左上の図に、大きく四つの効果の軸に分類したイラストを掲載しました。それぞれは、次のような表現の方向性を持ちます。

A…手描き効果で、優しさや描き手のタッチを重視。何かを語らせるというよりは、存在して空気を和ますようなシチュエーションに。優しさ、癒しを表現するのに適した方向。

B…線や色がはっきりしているイラストは、動きや表情をはっきり見せるのに適している。サブキャラクターやシリーズ化もしやすい。メッセージ、ストーリーを語るのにふさわしい方向性。

C…セリフや動きはほとんどなく、極端に記号化したり、シンプルにすればするほどグッズの展開などはクラスを上げやすい。ワンポイントやアイコン的な使い方で、シンボルマーク的な方向性。

D…iPhoneのアプリケーションアイコンを意識した透明感や反射を感じるデザイン。最新のガジェットやiPhoneなどのウェブアプリケーション、Eラーニング教材などの方向性。

［好みではなく、今後のツール展開やメディア展開を考えてイラストのタッチを決める］

［擬人化させるか、させないかもあらかじめ決めておく］

ツールやメディア展開が増えれば、印象は一層強くなる

もちろん前述のネコのように、いろいろなトンマナを展開させるというのもありでしょう。例えば、ディズニーやセサミストリートのように有名なキャラクターになれば、マーケティングの一手段として、手描きタッチを「新登場」させたりすることもあるでしょう。しかし、これはあくまでもメガブランドのシーズンキャンペーンのようなもの。基本がしっかりあるからこそできるものであって、ブランドをこれから育てようという人にはお勧めできません。

トンマナを踏襲したデザインは、市場に出て年月が経ってからその威力を発揮します。よく、セミナーなどで「美容と健康」に喩えてトンマナやポジショニング戦略の話をさせていただくのですが、ネイルに行って爪をきれいにする、というのはいわゆるプロモーションであり短期的広告戦略。生活習慣を整えたりヨガやバランスボールなどで体のコアにある筋力を鍛える、というのがブランディングや中長期戦略。トンマナによる力の蓄え方にはある程度辛抱と継続が必要です。

ですから、ある一定期間以内に成果が出なかったりしてもめげずに継続してください、とクライアントにはお伝えしています。ある日、気が付いたらずいぶん財産がたまっていた、そんな感触なのです。

前述Ａを使用したイラストのツール展開。優しく、柔らかいイメージが広がる

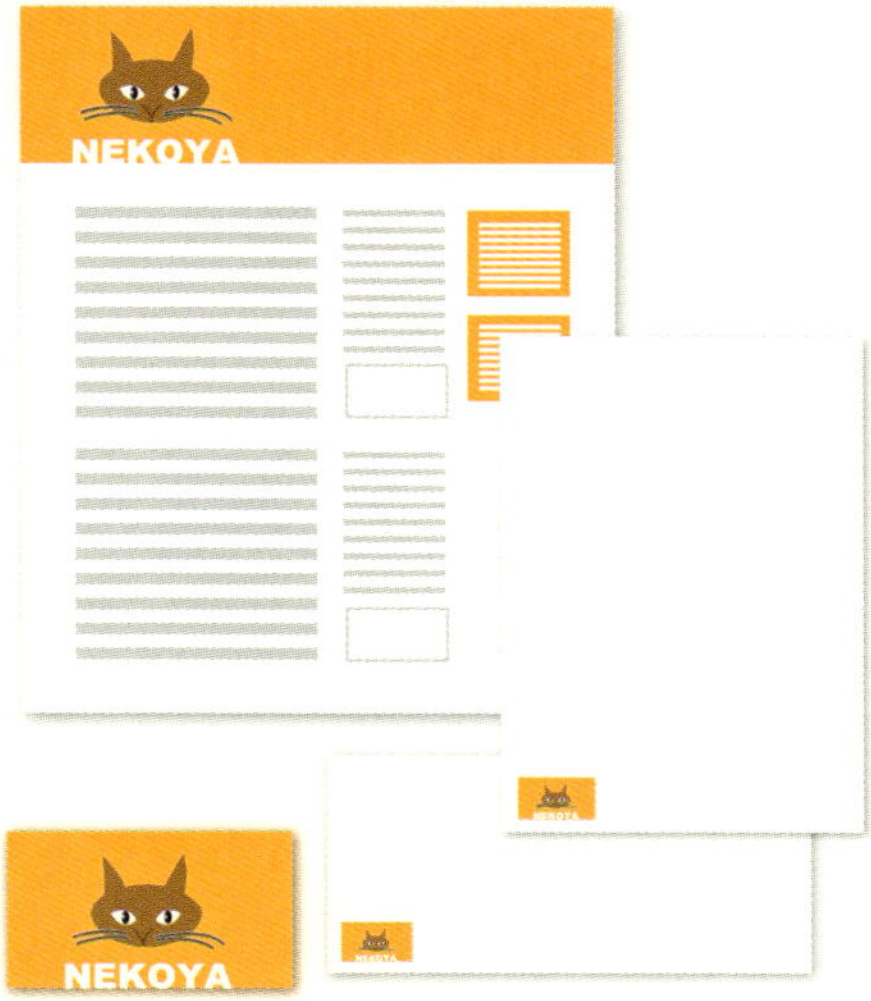

前述Ｃのイラストのツール展開。作成物が増えると、イラストの持つ独特の世界感が広がる

テクスチャーを使う

イラストやキャラクターについては、「デザインの資産運用」という点において大きな費用対効果が上がる可能性を秘めている反面、「クラスとタイプ」でいうところの「タイプ」に片寄りすぎているというマイナスの面もあります。つまり「嫌い」と言われてしまったら、身も蓋もないのです。

これから紹介する「テクスチャー」（素材感）を使うという手法では、あまり人の好き嫌いに関係のないところで、雰囲気を強調してくれたり、世界感を増長することが可能です。テクスチャーのほとんどは、もともと実社会にあるものをモチーフとしており、さらに基本の使い方は、「パターン化」や「タイリング」（並べたり繰り返したりすること）などで、素材の意味性を強く問わないようなものだからです。

テクスチャーとは？

「テクスチャー」とは、本来、織物や布地の肌触りや風合いのことを指しますが、グラフィックデザインでは、もう少し広く「触感を感じる」表現全体を指し示しています。そのため、テクスチャーがない状態、とはフラットな状態のことを言います。

次のページのサンプルは、左がテクスチャーあり、右がなしということになります。どうでしょう？テクスチャーがあるとないとでは雰囲気が違いますね。もちろん「ない」こと自体がよくないというわけではありませんが、テクスチャーのあるほうがなんとなく「手が掛かっているように見える」「目新しく見える」といった意味で、もてはやされた時期もあります。布はもちろんですが、大理石などの石や木目、紙、革素材など、いわゆる「フリーのテクスチャーリソース集」などは、見掛けたことのある方も多いでしょう。

イメージが出回るという状況はオリジナリティを確保するという意味では、非常に危険な状況を示しています。つまり、フリーのフォントなどと同じで安易に使ってしまうと、誰かと同じイメージになってしまうということも少なくないからです。

今ここにあるからという理由で安易に使わずに、まずはどのような「視覚効果」を出したいのかというゴールをきちんと決めて素材を選びましょう。

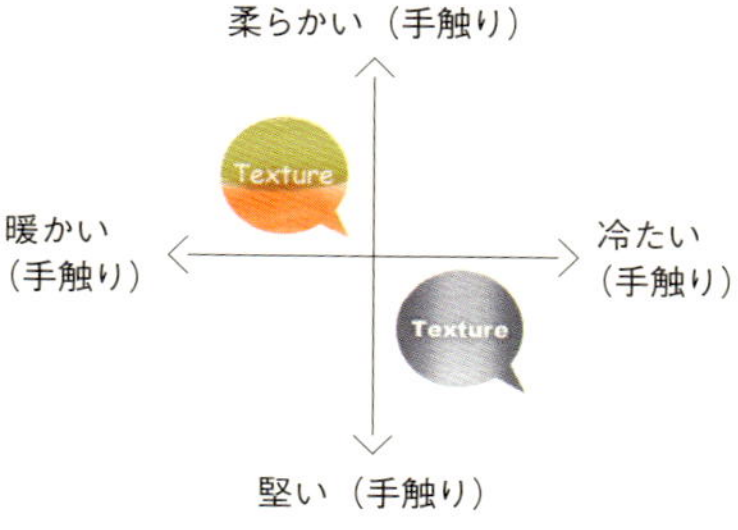

［テクスチャー選びのためのポジショニングマップ事例］

［同じ吹き出しのデザインもテクスチャーで別の雰囲気が生まれる］

クラス感を上げるテクスチャー

次のページに挙げたサンプルは主に、「クラス」を上げる目的のために使われるテクスチャーです。ありものをそのまま使うのではなく、ほんの少しカスタマイズをすることで印象は大きく変わります。テクスチャー素材のほとんどは加工しやすいように、ライトを回して（光が均等に当たるように）撮影されています。ところが人間の実生活において、光が完全にフラットになっているということはありえません。その不自然さは、しばしば疑似っぽい、偽物っぽい雰囲気を醸し出してしまいます。その不自然さを取り除くために、例のように光を入れてみるとがらりと印象が変わります。

最初の例は、白地をバックにした、どちらかというと明るくてぱりっとした印象のものでした。それとちょうど対照的なトンマナ、重くてずっしりとあるいはドラマチックに魅せたい場合のテクスチャーを１８２ページで紹介します。比較的手に入りやすい金属や石などを使ったものやそうでないものも織り交ぜていますが、やはり最初の例と同じです。ライティングを施しており、画面の中のある一部をフォーカスするような構図になっています。先ほどの白地ベースのものは、テクスチャーはあくまでも補助的な役割で、ビジュアルのメインはタイトルという印象だったと思いますが、濃度（色の濃さ）も階調（色の段階の細かさのこと）もしっかりとあるビジュアルになると、印象は鮮烈になります。

［シンプルなテクスチャー＋ちょっとした明度差を付ける］

［白地にゴールドとシルバーのグラデーションをリボン風にあしらう］

ドメスティックな傾向として、日本国内のデザイン事情を見渡すと、白地のデザインというのは多くの人に好まれる傾向が強いと言えます。風水でも、カラーコーディネーターの世界でも「白」は人気ナンバーワン、好感度の色です。花嫁の色、合コンで着ていくとウケる服の色、サラリーマンのワイシャツの色で多いのも白です。無難に多くの人に好かれたいなら、白をカジュアルに使います。立派に魅せたいなら、わずかなテクスチャーのある白を使えばいいのです。

逆に日本で個性を主張するなら「キーカラー」を白にしないことです。白以外の色は無限にあります。サブカラーの組み合わせで更に独自性を演出できます。そういった意味で、色使いはこれからの時代のデザインマーケティングの要です。グローバルな傾向では、グラフィックリッチな画像への揺り戻し（ミニマリズムという究極のシンプルからの反動）もきています。

印象的な色とテクスチャーの組み合わせは、日本国内では受け入れられにくいトンマナですが、グローバルな視点で見ればむしろスタンダードとも言えます。イラストレーター（Adobe Illustrator）などのアプリケーションで、ドロップシャドーのデフォルト値がスミの75パーセントに設定されているのは、欧米人がもともと濃度（色の濃さ）のある色使いを好むからです。

今のあなたに、最もぴったりの色は何でしょう？　勝負する気持ちがあるのであれば、あなたの色を魅せる努力をしてください。

［重厚なテクスチャーを更にドラマチックにするライティング効果］

［自然素材やポップなグラフィックを更にドラマチックにするライティング効果］

テクスチャーをブログスキンに利用する

テクスチャーの用途は、以前は商業印刷や販促活動が主でしたが、現在はブログやホームページのカスタマイズなどインターネットのメディアにまで広がっています。こういったもののデザインカスタマイズは、企業の販促はもちろん、個人にとってもその重要性を増していると言えます。

次の事例は、ブログスキンの一部である背景のイメージとタイトルのフォントカラーだけを変えた場合のシミュレーションをしたサンプルです。白地ベースにカラフルな水玉はポップで、木目のテクスチャーにスポットライトを当てたものはドラマチックな仕上がりになっています。記事の内容もタイトルも同じものですが、全く異なる印象を受けるということは一目瞭然です。

逆に、プロバイダーに標準装備されているブログスキンを加工せずに使い続けているような場合は注意が必要です。つまり、どこかにあなたと全く同じデザインを使っている人がいるということです。そして、その同じデザインの人はどんどん増えていくからです。

前半のデザイン戦略の立案のところでもすでに記載している通り、今後の情報化・グローバル化を乗り切るためにも、デザインはどんどん「オリジナル」であることが重要な時代になってきます。自社の生き残りをかけて「デザインの正解」を、論理的思考や企業ビジョンをベースに考えなければいけないのです。テクスチャーというのは、パターンやイラスト、グラフィックとも同じように使い勝手の広いものです。使いたいと思う方向性をきちんと定めて使うことができれば、高いクオリティのオリジナルデザインを作ることができます。

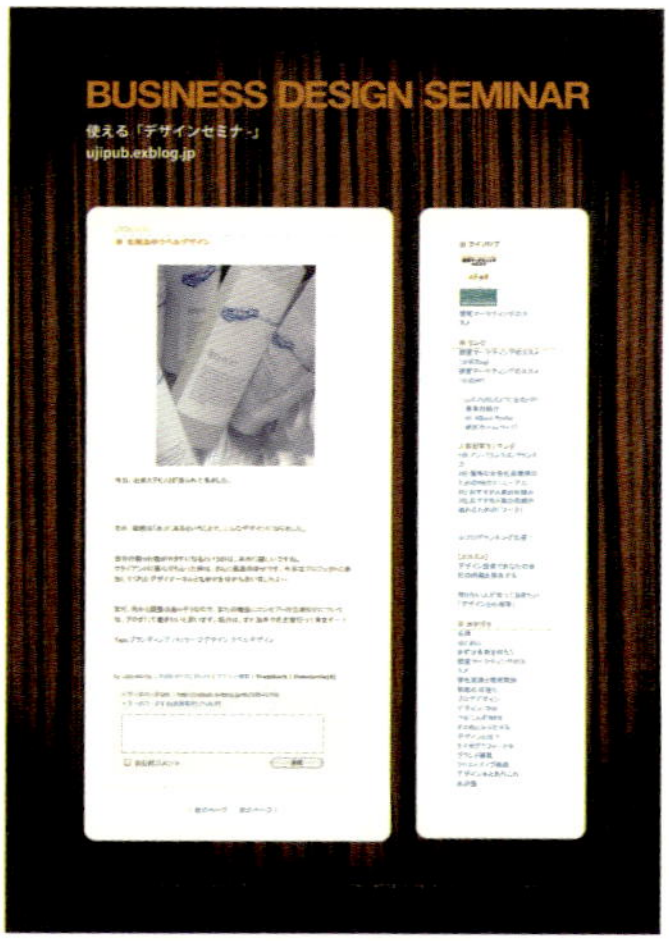

ブログのスキン（デザイン）が変わると記事の内容も「違うもの」に見えることに注目。いい加減なデザインを使っていては、もしかしたら「いい加減」に見られてしまうかもしれない

コントラストを使う

デジタルによる印刷技術が広まる以前、広告やデザインの現場において「製版入稿」というのは特に意味を持つイベントでした。新米のデザイナーは、入稿はさせてもらえず、上司のアートディレクターが印刷所の方に説明する様子を隣で聞いているという、いわゆる入稿に立ち会わせてもらっている状態です。若いデザイナーは、上司のその入稿の様子（メリハリ強調やシャドーを締めて、などと指示を入れている状態）を見て「ああ、製版ってこうやって指示するんだなぁ」と学びます。最近ではインターネットでさっとデータを送ってしまうという入稿も多くなっているのではないでしょうか。時代は本当に変わりましたね。

現在、ＤＴＰはもちろん、ウェブ制作の現場においても、画像の最終判断はデザイナーやオペレーターの手に委ねられています。しかし、発注者も階調に対する意識、特にコントラストについては正しい判断力と使い方を知っておく必要があります。なぜなら、ほとんどの写真や絵画などもそうですが、濃度や階調の解釈や再現でその印象はもちろん、雰囲気や世界感、つまりトンマナまですっかりと変わって見えてしまうことがあるからです。

コントラストとは？

この章の冒頭のグラスの話でも登場していますが、コントラストとは、主に写真を商業印刷に使う際に製版の現場で、濃度や階調の再現性のために使われてきた言葉です。「階調の再現性」などというと難しく聞こえるかもしれませんが、オリジナルの写真はシャープで格好よかったのに印刷物ができあがってきたら何だかぼんやりした雰囲気（眠くなる、などと表現する）になってしまった……。そんなことがないように、濃いところを濃く、明るいところをはっきりと明るくさせていくことを「コントラストを付ける」というように表現します。

もちろん、撮影の現場やグラフィックデザインをする時にも使います。全く同じではありませんが、似たような意味の言葉に「メリハリ」というものもあります。「メリハリ付けてね」とか、少しくだけて「メリとハリをしっかり」などという風に言ったりする時もあります。

解像度が足りない時や、写真やグラフィックにやや甘さを感じる時、皆さんはどうしていますか。また、ＲＧＢで作成した画像をＣＭＹＫに変換したら、調子がなくなってしまった！　などということはありませんか？　ここで、むやみやたらにシャープネスをかけて、フィルタ加工をするのではなく、プロはまず階調を整えます。それは何故かというと、階調が絵の印象、すなわち雰囲気を決めてしまうとても大切な要素だからです。そう、トンマナとコントラストは大きく関係があるのです。ここでは、グラフィックに濃淡があるものをメインに説明します。

［コントラストのないフラットなグラフィック］

四角いボックスは抽出カラーを表示している。それを見ても、色の濃度にあまり差がないことが分かる

［ライティング効果によりコントラストを高めたグラフィック］

リソースは左と同じ

コントラストで見えるもの

私はよく自分のセミナーなどで「ただ色を変えるだけではバリエーションにしかならない」という話をしています。これはなぜかというと、色を変えるだけでは、簡単に世界感までは変わらず、テクスチャーやコントラストで作り上げられた世界感や印象のほうが、「色」という概念より大きいからです。人はそもそも階調の印象というものを情報として記憶していて、何かを見て判断する時に濃淡の差を特に重要視します。

少し分かりづらいかもしれませんが、例えば、たいていの人は今まで白くもくもくしていた入道雲に突然黒い雨雲が差し掛かったら「あ、大変。雨が降るかもしれない」と感じるでしょう。また、遠浅の海で泳いでいた時にいきなりそこの海の色が、真っ黒く深い濃紺のような色になったら? やはり、「急に深くなるかもしれない。状況が変わるかもしれない」という風に判断するでしょう。もともと、人はコントラストが強いものには、注目してしまうのです。

これは、中世の絵画の話とつながります。例えば、独自の明暗表現で有名なイタリアバロック絵画の巨匠、カラヴァッジョ（Michelangelo Merisi da Caravaggio：1571-1610）は、実にドラマチックで印象的な光をダイナミックな構図から導き出し、描かれる人の内面を見事に切り取った画家と評されています。

　機会があれば、ぜひみなさんにもカラヴァッジョの絵画を見ていただきたいのですが、浮かび上がる光と影に導かれて視点を移動していくと、絵画のストーリーも浮かび上がるように描かれています。視点誘導と濃度差、コントラストといったものの関係を知る、実に明解なサンプルです。今なお、多くの愛好者がおり、名画も数多く存在しています。

　カラヴァッジョが当時、教会の模範的な優等生画家であったかは別として、視覚的インパクトに優れた売れっ子ビジュアルディレクターのよ

フラットな絵とコントラストがある絵を見比べてみよう。何が見えてくるだろうか？

うな存在であったに違いないということは、容易に想像できます。

コントラストとレイアウトの切っても切れない関係

さて、先ほどのカラヴァッジョのように、コントラストの力を借りて人の心を動かす達人はすでに多く存在しています。それは、画家ではありません。人目を引く美しいステンドグラスの教会や、真っ暗なお寺のお堂の中に明るい日差しが差し込むのを見た時に、心を揺り動かされた経験はありませんか。そう、宗教美術家たちは、もともと光と影を操る達人です。明暗を付ける、コントラストを付ける、というのはそもそも光を描いていることにほかなりません。つまり、光を描くために、光を印象深く魅せるためにわざわざ「影」を描いているのです。

次の図は、最初のイメージから写真部分を抜き去り、オーバーラップさせていたグラデーション（右）と、グラデーションのないカラーフィルタだけを抜き出したもの（左）です。写真がないために、明らかに雰囲気が違うのを実感していただけるのではないでしょうか。

このようなコントラストは、カラヴァッジョが５００年前にすでにやっていたことと根本的に何も変わりはありません。コントラストを付けることで象徴的な構図（コンポジション）を作り、視点を一カ所に集めることでより強い印象を作ることができます。

つまりコントラストのある写真というのは、画面上に明暗によってフォルムを作り上げるため、強い力の流れを生むことができるのです。そして、その強い力の流れを意識しながらレイアウトをすることで、それは「視点の誘導」につながります。なぜデザイナーは、こんなにも「コントラスト」や「メリハリ」にうるさいのだろう……、と感じられたこ

写真や絵だけでなく、文字の入ったポスターや広告でも全く同じことが言える。
コントラストは視点を集める

とのある方はいませんか。それは、「コントラスト」や「メリハリ」がないと、構図の中心となる力の流れが変わってしまい、視点誘導や情報伝達の経路が変わってしまうからです。

トンマナとフォルムの切っても切れない関係

トーン・アンド・マナー、雰囲気や世界感と言うとイメージ的なもの、感覚的なものと思われていた方は多いでしょう。もちろん、ここまで紹介してきたライティングや素材感も、感覚的で数値化しにくいものです。けれども実際のところ、トンマナを生み出す要因、すなわち原因を辿っていくと最終的には、そのフォルムに由来することが分かります。もともと、形に対して人間が反応できるようになっているためです。

今、目の前にあるイメージの中からフォルムの情報を抽出するために、私たちデザイナーはデザインの属性（クラスやタイプ）を見つつも、全体像をモノトーンに変換して、構図や視点の流れを確認しています。ものを作る時には、そのバランスはベストな構図を保っているか、目指すべき印象を作り出しているかを確認します。私のようなデザイナーにとって、「見る」ことは「知る」ことと、とても近いかほぼ同じ意味と言っても過言ではありません。

絵やイメージを見る時に、色彩やテーマを見るのではなくあえて「階調」だけを見る、といったテストをしてみてください。面白いくらいにいろいろなことが見えてくることに気付くはずです。

コントラストは、画面の中に視点誘導の流れや、意識の凝縮を作る力の流れがある

ホワイトスペースを使う

セミナーや勉強会などで「ホワイトスペース」というキーワードが出てくると、興味を持たれる方は多いようでよくその代表的な使い方や、失敗の少ないコツなどについて質問されます。検索エンジンの顔とも言えるグーグルのトップページや、和菓子のパッケージなどを題材にして話をすると安心されるようです。また、それとは別によく聞かれる質問に「ホワイトスペースの空け方」ではなく、空いてしまったらどうしますか？　という質問があります。

さて、答えは何でしょう。非常に簡単です。最後の方に答えを書いておきますね。

ホワイトスペースの力とは？

ホワイトスペースをゆったりと取ってあり、原稿がシンプルに整理されているデザインというのはそれだけで非常に優雅な印象を与えます。これは、紙やウェブ媒体に限らず建築やインテリア、すべてのことに共通して言えるでしょう。

例えば、渋谷の雑踏の中でひときわ目立つアップルストアのリンゴマーク。そう、アップル社の製品パッケージやショップのデイスプレイなどは「人目に付くところ」すべて、リンゴマークの周囲に大きなホワイトスペースが取られています。この空間があることで、「このリンゴは大切なリンゴですよ」ということを視覚的に訴えています。

思い出してみてください。名画と言われるものが海を越えて遠くの国からやってきた時、人気ナンバーワンのロック歌手が来日した時、周囲には「スペース」が取られ、必ず周りに護衛が付いています。皇居の周りだってお堀で守られていますし、もともと日本にはゆったりとした空間を時間とともに愛でる様々な文化が道として極められています。

大切なものの周りには、必ずスペースがある。これは日本だけでなく、世界に通じる視覚の効果です。もともと人間は、「大切なものの周りにはスペース」を取ったり、また「他のものと遮断」したり、「隔離して箱に入れ」たりします。ですから、逆に言うと、周囲に大きく空間を取ってあるものは「大切に違いない」「一目置かなくては」などと感じるのです。

［大切なものの周りには「スペース」が取られている］

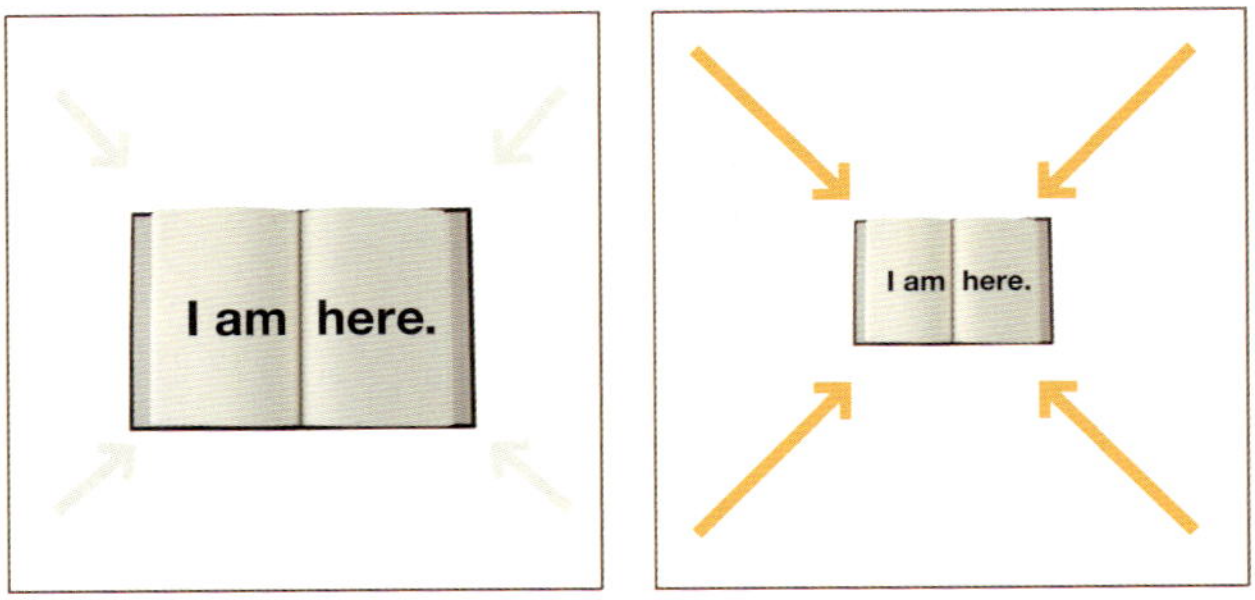

［大きな余白は対象物となるものへ、構図による力を与える］

ないがしろにされている？　日本のホワイトスペース

ところが残念なことに、現在の日本の社会ではこのホワイトスペースというものの「認識」や「美学」をなかなか理解できずにいます。もちろん、すべての日本人がそうだというわけではありませんが、私は、少なくとも広告や販促といったマーケティングの世界において、ホワイトスペースはその存在をないがしろにされていると感じています。

以前、カタログの仕事をよくやっていたのですが、表４（裏表紙のこと）のレイアウトは特に大変でした。先方担当者に、「なんだ、空いているじゃないか。もったいない」「もっともっと、入るだろう」などと言われ、とにかく原稿がたくさん入るということでデザイン力を評価されることはしばしばありました。どうやったらもっと入るだろうと様々な試行錯誤をして、なんとかぎっちり詰め込むとクライアントからは「いやぁ、よく入ったね。ウジさん、流石だ」ととても褒めてもらったことがありました。

ところがある日、気が付いてしまったのです。クライアントにとっての顧客であるエンドユーザーからしたら情報はもちろん大切だけれども、知りたいことは簡単に分かりやすく知りたい。そしてぐちゃぐちゃと見づらいパッケージは古くさい感じがする、とずっと思われていたということを。

伝えたい側と伝えられる側には大きなギャップがあります。まず対象が知りたいと思ってくれたり好感を持ってくれなければ、情報の伝達そのものが始まりません。そして、その伝えたいものにパワーを持たせるために、伝えたい人にファーストインプレッションから「これはとても大切なものですよ」ということを分かってもらうために、大前提としてホワイトスペースを確保する必要があるのです。

左の写真は、ある化粧品メーカーから依頼を受けてデザインした商品のボトルです。商品化の際には、十数種類ほどの商品展開があり、リサイズの作業は別のデザイナーの方にお願いすることになりました。そこで、キービジュアルとキータイプフェイスを基準にしたデザインのレギュレーションを決定し、様々な仕様（ボトルタイプ、ポンプタイプ、クリームタイプなど）でも同じイメージに見られるように、余白やホワイトスペースの「基準」を作ったのです。

今回のキービジュアルは、「パワーを持つ特別な水」のイメージ。これを大切に感じてもらうために、思い切ってホワイトスペースを空けているのです。

［「水」に特徴がある化粧品のパッケージのデザイン作りで留意した、キービジュアルとホワイトスペースの関係］

①まずは、水のイメージを伝える（キービジュアル）
②ブランドを伝える（ブランドロゴ）
③シリーズ名を伝える（シリーズ名、商品ロゴ）
④製品コンセプトを伝える（詳細）

ブライトローション／Beauty iQ（左）　マイルドＵＶカット／Beauty iQ（右）

ホワイトスペースと空いているスペースの差はこうして生まれる

ウジパブリシティーでは積極的に、美しくインパクトのある「ホワイトスペース」を提案していますが、媒体展開のコストダウンや作業の効率化のためにキービジュアルとレギュレーション（デザインを様々な媒体や用途で使用する際のルール）だけを差し上げて、細かいツールの作成をクライアントサイドにお任せすることもよくあります。すると、やはりホワイトスペースの取り方が難しいらしく、余白の取り方について質問されることも多いので、ここでは、ホワイトスペースがただの「アキ」にならずに、デザインのパワー源になる秘訣をお教えしましょう。

以前、勉強会に参加された方でとてもいい表現をされている方がいらっしゃいました。幼少の頃から、ご実家の影響で生け花をたしなまれていたということなのですが、その影響か空間やいわゆる「間」というものが気になって仕方がないのだそうで、ホワイトスペースを「間を取る」という風に考えるのだそうです。

日本にもともとある「間」の美学と、グラフィックデザインのホワイトスペースは若干異なると思いますが、大切にしていることの基本は同じで「力」です。つまり、大切にしているのは、空間を占めることによって生まれるパワーです。

左のサンプルは、ホワイトスペースを作ることによって生まれるパワーとそれによって生まれる視点の流れを矢印で示したものです。

［潔く空けた空間は何を作るか］

［ホワイトスペースが、流れや力（パワー）を作る］

ホワイトスペースでなく、ただ空いてしまっている空間は力がない「アキ」になっています。

先ほどのコントラストの話とも重なりますが、結局イメージの緊張感や均衡（バランス）というものは、形と形の関係から生まれていきます。そして、形と形のつながりが力を生みます。つまりホワイトスペースとは、目に見えないプレッシャーをかけている状態ということです。実際に、このプレッシャーについて多くの人は、目には見えていないけれども「雰囲気」で感じています。これも、一つのトンマナなのです。

これは、空いてしまっているスペース（ダメな例）

http://ujipub.exblog.jp/

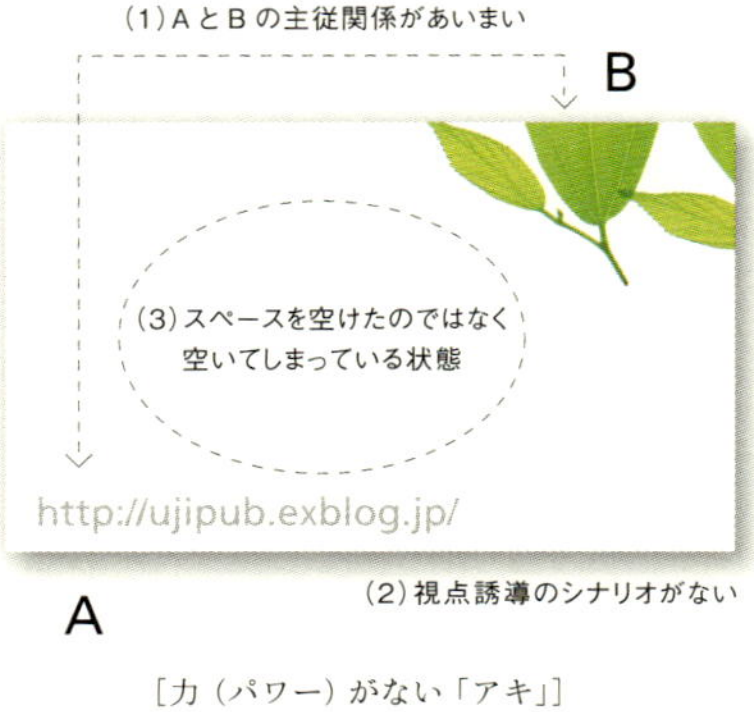
（1）AとBの主従関係があいまい
B
（3）スペースを空けたのではなく
空いてしまっている状態
http://ujipub.exblog.jp/
（2）視点誘導のシナリオがない
A

［力（パワー）がない「アキ」］

ホワイトスペースを上手く使うには？

「きれいなだけのデザイン」と言って、デザイン志向を否定する人がいますが、この人たちは実際には、デザインの「機能面」を否定しているわけではありません。デザインが道具としてきちんと動いているものに、むやみに噛み付いたりはしないものです。働かない、あるいは理解不能なデザインがどうも無駄に思えてしまうのです。そういう人の多くは、デザインされすぎたものの「威圧感」や「雰囲気」、そう、「分かる人だけに分かればいいや」といってよくクリエイターがやってしまう「クリエイターの独自性を強調した」トンマナの犠牲者と言っても過言ではありません。

多くのプロジェクトでは、「デザインに力を入れたモデルを作ろう！」ということになると、すぐに「変わった」「奇抜な」「不思議な」デザインに走っていってしまいがちです。けれども、多くの日本人は「デザインのしすぎ」を望んではいません。

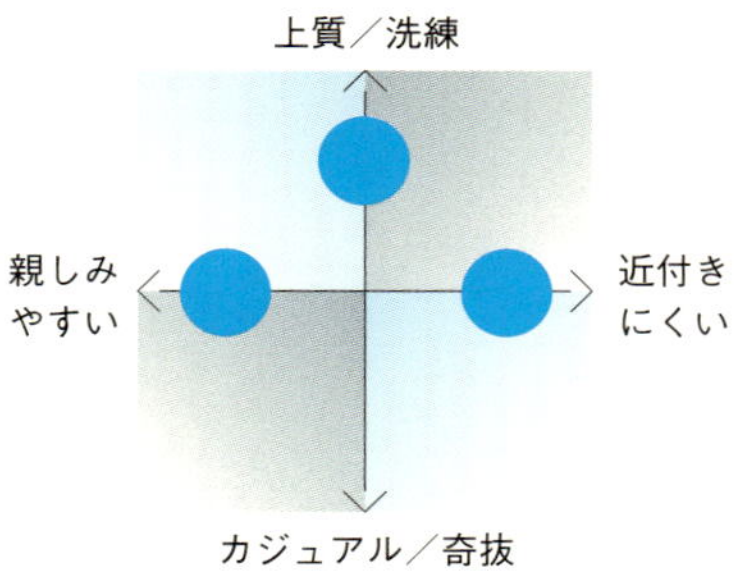

［ホワートスペース効果のポジショニングマップ事例］

ホワイトスペースは、多方面に受け入れられるベーシックなデザインの手法また、ブランディングの視点から考えると「継続性」や「自己統一性」（自分や自分のブランドの中で整合性が保たれていること）が非常に重要になります。難しいようですが、これはあるべきものがあるべき姿でなければ、人は判別できないという意味で、尖ったデザインをしてはいけないというわけでなく、タイプの突出しすぎたものをブランドの主力に育てるのには、時間がかかってしまうということを覚悟して臨めばよいだけのことでしょう。

ホワイトスペースやシンプルなデザインを取り入れるということは「デザインに力を入れる」ということと違うベクトルを向いているわけではありません。望まれるデザインは何か、マーケットにとっての「デザインのクオリティとは何か」ということを考えた上で「デザインに力を入れる」ことこそが重要なのです。

もし、ホワイトスペースを上手く使いたいなぁと思ったら、まず、次の三つのポイントは必ずおさえるようにしてください。

①デザインの主従関係（構成要素）をはっきりとさせる
②視点誘導のシナリオをあらかじめ作っておく
③ホワイトスペースによって作られる構図や形のバランスを再調整して、ベストバランスを見極める

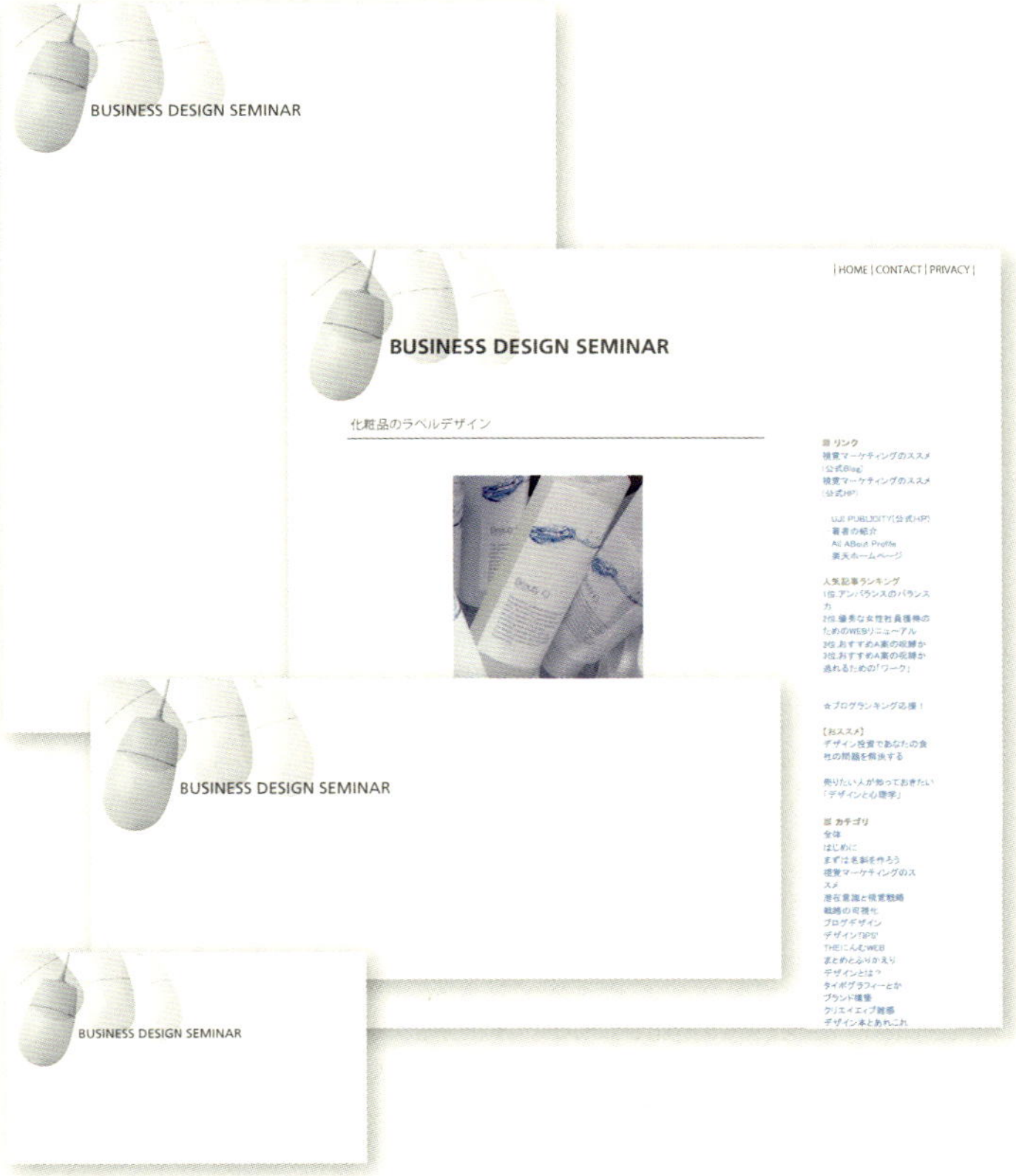

[ホワイトスペースを上手く使うことは、そのモチーフの「らしさ」をより強くすることと等しい]

フォントを使う

グラフィックイメージを使用するパートで、すでにフォントを選ぶ重要性には触れていますが、実際に「フォントを選べ」と言われても、なかなかイメージがわきにくい方もいらっしゃるかもしれません。フォントを選ぶには、最初に大きな方向性を選ぶという工程がありますが、それだけでなく、実際にはもう少し繊細で難しい作業が待っています。

実際には、まず自分（クライアントサイド）が納得できる方向性としてのフォント選びがあり、そして相手（カスタマーサイド）に受け入れられるという双方の合意も必要です。「今日のパーティに行くには、このワンピースがいいかな」と選んだ服が、会場に着いたら、上司にも後輩にも褒められる……。そんなゴールを目指さなければなりません。

フォント選びは、恋人選び？

それほどフォントを選ぶということは、マーケティングやトンマナを重視するデザイン戦略においては、最も重要なことの一つと言えます。フォント選びは、いわば「パートナー選び」でもあります。ビジネスやブランド構築においてフォントの決断はビジネスの本質、つまりあなた自体の本質を問われることになります。自分を知った上で、どんな役割をフォントに担ってもらうのか、ということがフォントを選ぶということになるのです。

ちょっとした実験を行ってみたのですが、MAUI FLAVOR COFFEEという文字を、二種類のフォントで組んでみました。セリフと呼ばれるローマン体とサンセリフと言われるゴシック体の書体です。印象がはっきりと違います。

バブルの頃には、今よりも広告の予算がたくさんあった上に、人目に触れる機会であるメディアという選択肢も数が限られていました。ですから、キャンペーンやプロモーションごとにしょっちゅう、フォントの種類やイメージを変えていました。

けれども、このやり方は今となっては主流ではありません。限られた予算を、効率よくデザインに使っていくためには、常に「デザインの資

［フォントを変えるだけで大きく違う、文字の印象］

産運用」を考えなければいけないのです。長く付き合えるか、頼りになるか、自分や自分のビジネスと趣味や思考が合っているかという点に着眼して慎重に選びましょう。フォントは、あなたの「広報担当者」と言っても過言ではありません。ビジネスにふさわしいパートナーを選んでいただくためにもフォントの種類やふさわしい使い方について、ぜひ知ってもらいたいと思います。

自分のイメージにぴったりのフォントってなんだろう

ここに四種類のフォントで作ったサンプルがあります。細いゴシック体はすっきりとシャープに、その下の書体はカジュアルでどちらかというとくだけたイメージです。

今回はトンマナの差を感じてもらうために、あえて極端に方向性の違うフォントを使用していますが、ご覧いただくと分かるように、ビジネスユースであればかちっとした形で正統派の書体を、伝統や歴史に合わせてクラス感をメッセージとして発するならローマン体がふさわしいということになります。

フォントは、ビジュアル全体の中で強烈な印象を植え付けます。フォントには人格があり、マーケティング的な視点から言えば、無意識に多くの情報を顧客に与えていることになります。

友だちの友だちはみな友だち、などとよく言いますが、好きなもの同士は集まり、そうでないものははねのけるというデザインのフィルタリングの効果は、フォント選びから始まると言っても過言ではありません。

文字と意味が合っていると、独特の世界感がすでに生まれてしまう

時代性、古典的というキーワードを持つ書体とウェブ関連企業が指定書体にしているものの印象の違い

本命を決めることの大切さ

よく、デザインに積極的で知識のある人でさえはまってしまう罠に、「デザインで、あれもこれもと欲張ってしまう病」があります。大きく分けると

①したいことが、あれもこれもたくさんありすぎる

②したいデザインが、あれもこれもありすぎる

という二つに分けられます。

以前、あるウェブのマーケティング会社で取締役をされている、いわゆるビジネスエリートにあたるであろう方に、ずいぶん深刻に相談されたことがあります。

「ウジさん、どうして効くデザインと効かないデザインがあるのでしょう。また、デザイン作成のマネジメントそのものが非常に難しくて、とてもコントロールしきれないのですが、どうしたらすんなりと上手く決まるのでしょう?」

その方にお話を伺ったところ、クライアントのデザインのゴールが定まっておらず、二転三転してしまい（したいことが、あれもこれもたくさんありすぎるため）、かつ指定されたデザインのサンプルの量も質も膨大という（したいデザインが、あれもこれもありすぎる）、本当に典型的なケースで悩まれ

ていたのでした。

具体的には、ある福祉関係のデザインを、外車のスポーツカーが持つような洗練されたイメージとラジオ局の賑やかなデザインを組み合わせ、最終的にはシンプルにまとめて欲しいというものでした。

こういったケースでとても残念なのは、デザインの発注について力を入れているプロジェクトであるにも関わらず、最終的に結果を出せず終わってしまうと、関係者がデザインに不信感を持ったままになってしまうことです。

でも、フォント選びがデザインの戦略やトンマナに大きく影響するなんて、ノンデザイナーの方にはなかなか理解できないでしょう。当のデザイナーだって、キータイプフェイスの設定がブランディングの重要課題であり、判断力とセンスを最も試される仕事だという認識が薄い場合もあります。どちらかというとキービジュアルやキーカラーの説明に重きを置いてしまいがちなのです。

しかし、実際にトンマナの大きな軸を握っているのはフォントです。逆に、いろいろなシリーズを展開したい、いろいろなデザインに挑戦したいけれども、全体の雰囲気を統一したいということであれば、キータイプフェイスを決める、すなわちフォントの種類を決めてしまうことが重要なのです。

太さの違うフォントを組み合わせたり字間を変えたりすることで、フォントイメージのチューニングは更に細かくすることができます。

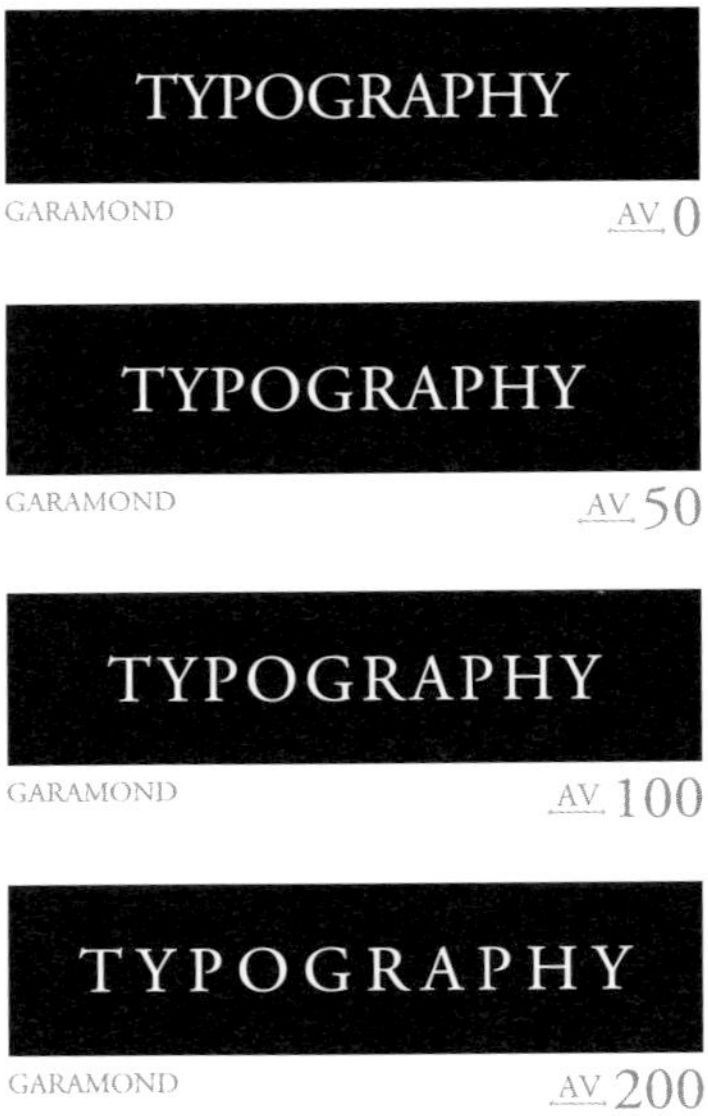

［セリフの付いたエレガントな書体は、文字間隔を空けると更に穏やかでゆったりとした印象になる］

［ゴシック系のシンプルなフォントでスタイリッシュな印象を作る］

Part 2

3

実践、トーン・アンド・マナー

―デザインの印象を守る

レギュレーションを守る

デザインのレギュレーションについて、近年の日本で熱心に語られることはめったにありません。そのような影響もあるのでしょうか。首都高速から東京の街並みを眺めていると、たぶん街の美観を損ねるとかそんなことは考慮されていないのではと思えるような不揃いの外観のビル、そしてビルに埋もれるように多くの看板を目にします。

しかし、日本古来に伝わる文化や芸術の多くは、型、すなわちフォーマットをとても大切にし、揃えるところを揃え空けるところを空けるという秩序を重んじていました。そういえば、日本でも美しい街並みがあり、文化もあります。デザインを「揃える」ことで美しさを保つということは、美しい街並みを守るようなことに近いと言えます。作ったものを守ること、保つことも「デザイン」だということをぜひ意識してみてください。

デザインのレギュレーションとは?

デザインのレギュレーションとは、主にパーツのデザインのことではなく、デザインの印象であるトンマナを揃えるための、具体的なシステムとやってはいけない決まりを記したものです。ところがデザインのレギュレーションは、比較的大きなプロジェクトであったり、何億円も掛けて作られるＣＩなどの実行時にのみ施行されているというのが日本の実情であり、せっかくレギュレーションを決めたとしても、守られないという話も聞きます。

これらはすべて、その「レギュレーション」こそがデザインなのだという概念の欠如に他なりません。

これからのデザイン戦略のために必要な、二つの大切なポイント

情報化、グローバル化、と言われて久しい今日この頃ですが、アメリカやヨーロッパ以外の国からのサービスも知らぬ間に私たちは利用していることに気付かされます。いわゆ

［ヨーロッパの街並み］

街並みの美しい国は、デザインのレギュレーションや美観を損ねないための決まりを大切にしている

Photo by korut

る大国でなくも、グローバルに飛躍している企業のほとんどはデザイン戦略が上手な企業です。生活まわりのものから家具、衣服、食品、ウェブサービスまで「そういえば……!」と思いあたるところはいろいろとあるのではないでしょうか。

ここで特に注目して欲しいのは「ガイドライン」という考え方です。日本では、デザインの作成や使用に関して、ガイドラインやルールという継続的な決まりごとについてはあまり協議されずにいます。というのは、日本では「デザインの一貫性を保つ」ということが、まだ意識の外の話なのです。もし「デザインの一貫性を保つために、レギュレーションフォーマットを作ってもいいですか」と、クライアントに尋ねたら「それで費用は一体いくらかかるのか」「その分、利益がどれだけ出るのか」と質問攻めにされることがほとんどでしょう。

もちろん私のクライアントには、デザインのことを地道に研究されていて、積極的な提案を受け入れてくれるところも多くあります。しかし、一方で、「社内政治用に、もう少し説明書き（社内を通すための企画書なども含めて）を増やしてくれないかな」などとリクエストされることもあります。

このデザインのガイドラインという考え方は、今後、企業のビジョンやサイトのポリシーと同じくらい重要になります。なぜなら、ビジネスやコミュニケーションと全く同じに、デザインもグローバル化を余儀なくされ、情報化の海の中で生き残りをかける時代にきているからです。

そして近い将来、企業にとってデザインは、いわば「企業コミットメント」と等しく認識されてしまうようになるでしょう。その時、デザインに力の入っていない企業は、旧世代のビジネスをしている企業と勝手に思われてしまうことだって大いにありうるのです。なぜなら、これからはインターネットがこの世に登場してから生まれた世代、すなわち物心付いた瞬間からインターネットで物を買ったり売ったりすることができた世代が、間違いなく世界の経済の中心を担っていくようになるからです。

あなたの会社のデザインレギュレーションは大丈夫?

では、実際にあなたの会社のデザインレギュレーションを見てみましょう。以下にチェック項目を挙げておきます。

①整合性・マッチングチェック

・現在の企業経営のビジョンとデザインのトンマナは合っているか
・媒体展開の中で、そのデザインは統一性を保たれているか

②使用方法の規定

・デザインの販促やマーケティング展開のためのレギュレーションフォーマットはあるか

・社員全員がそのデザインの使用規定について、正しい理解を持っているか

③デザインガイドラインの作成

・新製品、新サービス、新媒体の展開を考える際の、企業マネジメントレベルでのデザインガイドラインがあるか

・それは実際に使われていて、企業イメージとマッチングしているか

【参考】以前、米国グーグル社のオフィシャルブログにアップされた、グーグルの考えるデザインガイドラインを元に、かつトーン・アンド・マナーの書籍コンセプトにも適応した、オリジナル版を作ってみました。ポジショニングマップを作り、デザイン戦略を立て、ラフデザインの段階でぜひ一度チェックできれば、かなりいいデザインが必ずできるはずです。

□使えるデザインになっている?

→デザインは正しいインプットによって、人の暮らしや夢を助ける「ツール」

□さくさくと動く、機能するデザインなっている？
↓デザインが機能の邪魔をしてはいけない

□シンプルにデザインしている？
↓シンプルこそ、パワー

□魅力的で分かりやすいデザイン？
↓ベテランにも、あるいは初心者にも

□はっとするような新しさはある？
↓古い何かを打ち破るくらいに

□ユニバーサルなデザイン？
↓全世界の隣人にためらいなく自慢できるデザインになっている？

□そのデザインは資産であり、武器にもなっている？
↓デザインはビジネスの戦友

□美しくなるための努力を怠ってはいない？
↓美しいことも、強さ

□信頼感を与える、バランスやクオリティを保っている？
↓クラスアップしよう

□あなたらしさはちゃんと出ている？
↓胸を張って、世界のオンリーワンになろう

おそらく多くの企業にとって「デザイン」とは、広報や販促担当部門における「広告販促物のレイアウトのチェック」「新製品のロゴ・パッケージチェック」などが主たるものだったのではないかと考えます。しかし今後、「デザイン室」は、組織的には社長室の直下に、そして担当は「マーケティングの

マネージャー」が携わることになるでしょう。

実際に、海外の多くの企業ではこのような組織になっていますし、証券会社やコンサルティングファームにも専属のクリエイティブディレクターが存在します。私のクライアントでも、不況下で成長を続ける多くの中小企業がこのようなスタイルです。確かに、販促部門の一担当というよりも荷が重い役職になりますが、実際に世界基準で考えたら企業のデザインはすでにマーケティング以外の何ものでもないのです。

デザインのレギュレーションフォーマットを作ろう

ガイドラインの策定は、これからデザインを作ろうという際の「ぶれない軸」を作るために特に有効でしょう。しかし、今すでにあるデザインの資産を活かしたいのであれば、レギュレーションを決めていきましょう。

レギュレーションを決める際に最も大切なことは、デザインのトンマナの統一です。具体的にいうと、例えばあるロゴがあったとして、大きな看板から小さいバナーまで同じロゴデータの拡大や縮小をしていると、大きくなった時には印象がつかめないほど大きく感じ、小さくした時にはラインや文字が潰れて見えなくなってしまうというおそれがあります。

本来、企業や公共のサービス、学校のロゴなど、人目に多く触れるものであれば、あまり複雑なデザインは推奨されません。「見る媒体ごとに印象が違った」「使用サイズで雰囲気が違う」というようなことでは、ロゴやアイデンティティとしての役割を果たしているとは言えないのです。

レギュレーションの基本は、デザイン環境の変化（例えば背景色に色が付いたり、異なる広告要素が入ってきた時）にどのようにして、自分の居場所を確保するかというようなことに似ています。もしあなたが、全世界を旅するとして、半畳の畳と座布団を持って旅に出れば、畳半畳分の和風の世界感は確保されますよね。

ロゴの周りにスペースを取る、背景色の濃度が上がったら可読性を上げるために基本色を調整する、使用サイズごとにラインの幅やアールを見直すということのすべてが、実はそのものが持つアイデンティティの確立、すなわちトンマナの統一のために必要なことなのです。

ここまでお読みになって、アイデンティティや企業ビジョンの可視化に大切なことは、「ロゴ一個」を作成してもらうことではなく、その世界感をどうやって守り、どのように運用していくかという「デザインを使う側」の姿勢に大きく関連があることをお分かりいただけたでしょうか。

では、最後に実際のロゴのリサイズや、メディア展開の注意点などについて見ていきましょう。

リサイズ時の決まりと注意

デザイナーはその多くの「エネルギー」をクリエイティブ（創造すること）に注力していると思いますが、それと同様にその「集中力」のほとんどを調整、すなわちリサイズやフィニッシュというものに注いでいるのではないでしょうか。プレゼンが終わった時、デザイナーのほとんどは、たとえ睡眠時間が少なくても結構元気だったりするものです。その一方で「入稿終わった……」というデザイナーは皆ぐったりとしています。

リサイズやフィニッシュにそんなに集中力がいるの？　と、ノンデザイナーの方は思われるかもしれませんが、ほとんどのデザイナー、現場というものを知っているデザイナーの方であれば、きっと同意してくださるはず。大きな原石からダイヤを削り出す作業は本当に大変ですが、ダイヤはダイヤに見えるべく精巧な爪を付け、格調の高い細工をしなければ市場には受け入れてもらえません。

イメージの製品化のために、統一したトンマナを守るために、リサイズはブランディングやマーケティングを意識したデザイン戦略において重要なスキルの一つと言えます。

どんな大きさで使っても同じ印象にする

あなたは「ロゴの清刷《きよず》り」という、大きさの違うロゴがずらりと並んだ、版下（印刷入稿用のデータ）に使う印刷物をご覧になったことはありますか？　これをよく勘違いしている人がいるのですが、これは同じデータをコピー&ペーストしたものではないのです。

次のDESIGN SEMINARというロゴの大小データを見てください。タイポグラフィーのワンポイントとして、顔に見えるような細い曲線を入れてあります。

一番上のデータを基準として、このデータの50パーセントのサイズに縮小してみます。これを単純に曲線部分も50パーセント縮小にしてしまうとどうでしょう（一番下のデータ）。何だか、細く頼りなく、基準のイメージとは違うように見えるのです

この、基準になっている印象と小さいサイズにした時の印象を揃えるために、「清刷り」はあります。それぞれのサイズ展開は、紙の印刷物とウェブなどでも常に同じ印象に見えるようにあらかじめ調整がされているのです。

また、最近ではウェブサイトでの使用を前提としてロゴのデザインも考えなければいけない時代になりました。これはどういうことかというと紙媒体を中心に考えていた時代は、あえて極端に細い書体な

どを使用することもありました。しかし、これをウェブサイトで使用するとどうなってしまうでしょう。50ピクセルというのは大いにありうるサイズですが、すでにピクセルが潰れかけています。さすがに25ピクセルというのは小さいサイズですが、それでもアイコンサイズとしては大いにありうるサイズです。ですから、そのアイコンになった時にも、同じ印象になるようなものをそもそもデザインしておかなければならないのです。

1ピクセルに満たないデータは、あるかないかのどちらかに判別され

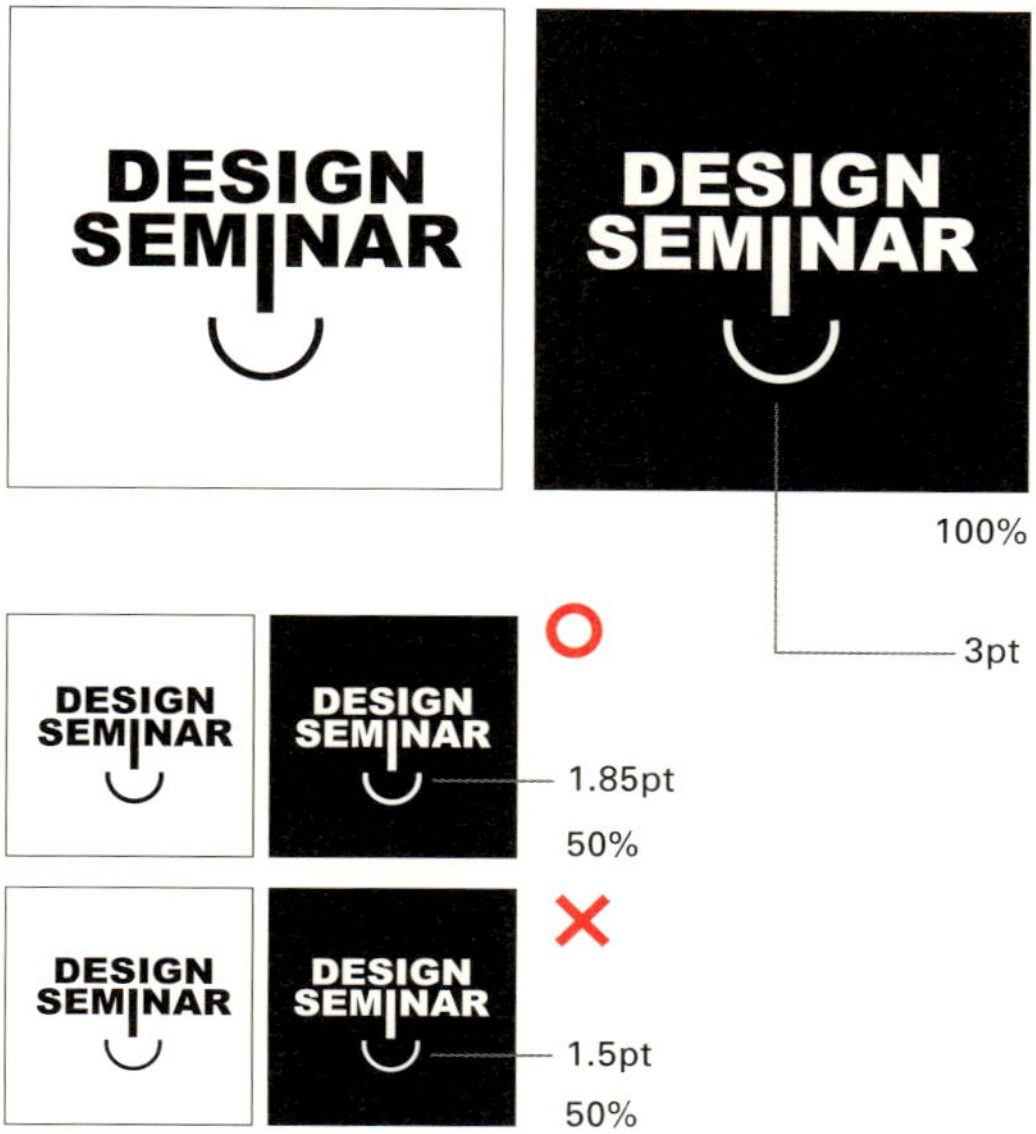

［同じ印象を作るために、同じ太さの線にはしない］

ます。ということは、誤って太く見られるかデータがなくなってしまうという恐ろしい事態になってしまうのです。

［ウェブサイトなどへの展開も考慮して、フォントを選ぶ］

※印刷とウェブでは見え方が異なります
※図は紙面サイズの都合上、実寸ではありません

どんな背景を使っても同じ印象にする

どのような媒体、どのような大きさでも、同じ印象になるようにあらかじめデザインを考えて用意しなければいけないのと同じように、色の問題においても、周囲の環境の変化に耐えうるレギュレーションを用意しておきます。

次の図の例で上段部分を見てみましょう。先ほどのサンプルロゴを、カラー（ＣＭＹＫ）を想定して着色してみました。そしてこのカラーリングされたロゴを「基本」と考えます。次にこれを一色（グレースケール）に単純変換したものが中央のサンプルになります。すると、カラーでバランスの取れていた色の重みが微妙に変化しているのがお分かりでしょうか。

濃いブルーを使っていたブルーの「Ａ」だけが濃く、カラーバージョンでは発色がよく引き立っていた、「Ｓ」がすっかり目立たなくなってしまいます。

ところが、この一色（グレースケール）のロゴを見る人は、同時にカラーの配色を目にするわけではありません。ですから、一番左のサンプルのようにカラーに近い印象を新たに「一色で作る」という作業が必要になってきます。

更に下（中段）の図を見てみましょう。基本のデザインを異なる背景色と合わせています。これにつ

上段：カラーの印象をモノクロでも大切にしよう
中段：背景色による色の見え方の変化に注意しよう
下段：可読性をよくするために、色指定を調整することもあるいては、基本のデザインから色を一切変えていないのですが、背景色によってがらっと色のイメージが変わって見えます。背景色は濃くなればなるほど、ロゴデザインの色は明るく見えるし、逆に背景色が薄い色になってくると、それまで爽やかにさえ見えていた配色が濁って、濃く見えるので注意が必要です。

一番下の図に移りますが、これもまず背景色を基本より40パーセントアップしたものが中央です。これではいくら何でも、文字がなじんでしまい見えにくいですね。そのため、この時一番見えづらかったグレー色はスッキリと白抜きに、他は特に見えにくい中間色の濃度、彩度を逆にアップして可読性をよくしました。

このように、印象を守るためにもレギュレーションを用意することは必要なことなのです。

禁則を作る

作り上げたデザインを様々な媒体で使用していきたいと考える場合、「こうしなければならない」（例えば、印象を揃えなければいけない、規定サイズは規定のデータを使わなくてはいけないなど）という決まりの他に、「こうしてはいけない」（ロゴをバラしてはいけない、斜体をかけてはいけないなど）という決まり、いわゆる「禁則」を作っておく必要があります。

現在のツール作成の現場では、基本的にデータの二次使用で仕事は引き継がれていきます。実際にフィニッシュのデータを作成する人が、悪意はなくても、万が一グループ化を解除してしまいバランスを変えてしまったり、そのツール独自のキャッチコピーを統一性のない書体にしてしまったりするようなことが起きれば、そこまでの担当者やデザイナーの苦労は水の泡です。

「禁則」事例を作成している時に、まさかこんな加工をする人はいないだろうと思うことがよくあるのですが、実際に世の中に出回っている事例を見ると、びっくりするような加工を施してしまったものによく出くわします。これはほぼ、ロゴやキービジュアルを作っている人の利害関係から生まれることです。「禁則」を破ってしまう人も、セミナーの集客で必死だったり、他のイベントよりなんとしても目立ちたいといった理由で、悪意のある人はほとんどいません。

だからこそ、なぜ、レギュレーションがデザインにとって大切で、イメージ統一性がどれだけパワーのある手法なのかということを根気よく説明していき、理解してもらわなければならないと思っています。

DESIGN SEMINAR
パーツの位置を変えないでください
角度を変えないでください
イチオシ！おススメ！セミナー
他の要素を加えないでください
字間を変えないでください

［禁則事例］

レギュレーションフォーマットしやすいデザインを作るコツ

独立したての頃は、代理店や制作会社の下請けの仕事を沢山やっていました。やがて、オリエンテーションを受けた瞬間に「これは、困った仕事になるぞ」と予感できる仕事のパターンというものが分かるようになりました。もちろん、時間が足りなかったり予算が足りなかったりする仕事も非常に困ってしまうのですが、本当に結果が出せないということが最初から分かってしまうというのが「コンセプトに合わないロゴ」を支給された時でした。

ロゴのトンマナと、キャンペーンのコンセプトのトンマナが違っていることも非常に困りますし、そもそも商品やサービスのマーケットに寄り添ったものではなく、作り手の創造力のみによってできあがった成果物は、様々なツール展開、媒体連動、プロモーション訴求などと親和性が低いケースが多々あります。そのためロゴを検討する時には、できれば早い段階でツールや媒体のシミュレーションをしてみることをお勧めしています。

決まったロゴの統一されたイメージを守るために、レギュレーションを作る作業はもちろん大切なのですが、ロゴやビジュアルを決定してしまう前に最低でも、印刷物（カタログや企画書テンプレートなど）、ウェブサイト（ホームページやブログ、バナー）、ステーショナリー（レターヘッドや名刺、メモパッド）やグッズ（マグカップやカレンダー）などの中から3タイプは、シミュレーションをしてみましょう。ファーストサンプルを作る時から、様々な媒体をあらかじめ想定しておくことがポイントです。

最低でも情報量の異なるツールを３つ以上、できれば紙とウェブと他媒体でサンプルの制作を

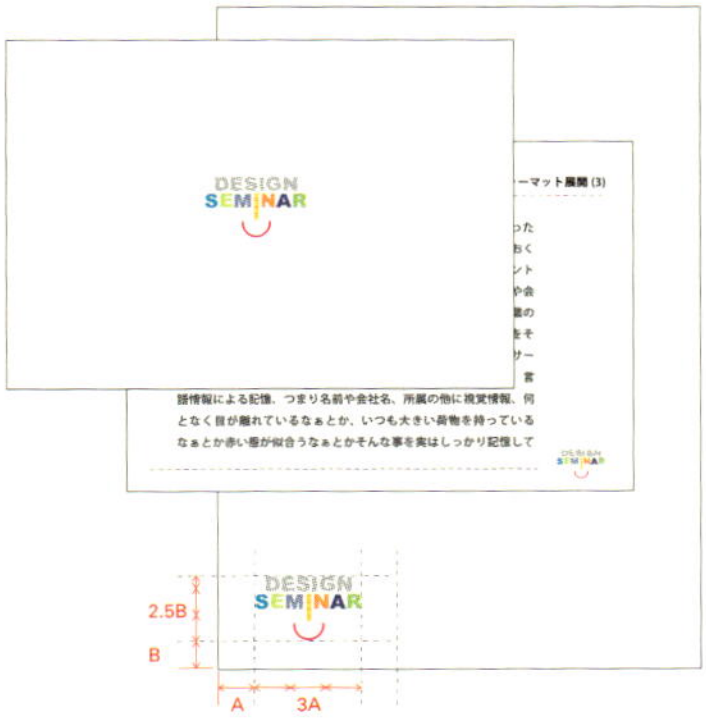

使用されるビジネスシーンをあらかじめ想定しておく。
名刺、レターヘッド、企画書テンプレート、ブログスキンなど

ツール展開・メディア展開時の決まりと注意

透きとおったブルー。美しい南の島の蒼い海や、宇宙空間に浮かぶ蒼い地球など、写真であれ絵であれ、目を奪われる美しいブルーの色というのはとても印象に残りますよね。画材専門店に行ってみると、ほかの絵の具の値段よりもずっと高くて驚くのも「ブルー」という色の特長です。さて、このように「美しい」と思っていたブルーの風景が、画像データ上でRGBからCMYKに変換した瞬間に非常に濁った色調になってしまい、がっかりしたということはありませんか?

RGBとCMYKの印象を揃えるには?

ブルーに限らず、RGBで輝度が高く透明感があって美しいなぁと思っていたデータが、CMYKでなかなか再現しづらいということはよくあります。

ウェブサイトと紙媒体のデザインを連動させるとなれば、当然出てくるのはすべての媒体におけるイメージの統一性。ところが、ウェブ案件からスタートして、紙媒体への展開が決まったというケースに

変換前に階調を増やして変換した写真

変換に失敗して、ブルーが濁ってしまった写真

Photo by ゲッティ イメージズ

おいて、ＲＧＢの特性の強い画像は、ＣＭＹＫ環境においてその再現性が危ぶまれることがあります。簡単に言うと、とても美しいと思っていた画像がすっかり濁ってしまい、同じイメージで「印刷ができない」のです。これは非常によくありません。

これを防ぐのに、最も有効な方法は最初からＣＭＹＫデータで納得のいくデータを作成することなのですが、３Ｄのソフトウエアを使って作成した画像データであったりした場合、必ずしもそうは言っていられません。以前、ゲーム会社のポスター制作を依頼された時のことです。精巧に作られた３Ｄのデータを支給されたことがありました。このゲーム会社でも、どうもＣＭＹＫに変換しても上手く再現できずに困っていたようです。

私はこのようなことがあると、いつもアシスタント時代に印刷会社で色校正をしていた時のことを思い出します。当時は、プリンティングディレクターと呼ばれる、印刷・製版の熟練した担当者が、ポジフィルム（写真）をどのような解釈をして、どのような方向性で印刷物に仕上げるかという「判断」のために、印刷の前の製版入稿時に立ち会っていました。つまり、「変換」ではすでに難しいものは、「判断」しなければならないのです。

しかし今日、多くのケースにおいて、入稿するたびにプリンティングディレクターの判断を仰ぐ、ということはなかなか難しいでしょう。そのような場合は、あらかじめデザイナーや印刷の担当者に相談しておきます。

多くのケースにおいて、色の再現性が難しい場合はまず「階調」（トーン）の再現を行うために、次のような処理をします。

まず、①トーンカーブを使って全体を調整します。これで、コントラストやメリハリ、フォルムの印象が保てます。次に、②中間のトーンがなるべく濁らないように留意しながら、ハイライト(ライト部分)を整え、③仕上げにシャドーの色調を整えます。②と③についてはレベル補正を使ってもいいでしょう。

階調の補正は難しいと思われるかもしれませんが、この①から③の三段階で行えば、かなり失敗はしづらいはずです。ぜひ、一度チャレンジしてみてください。

ネットでも紙でも……印象の統一を

4マス媒体（テレビ、ラジオ、雑誌、新聞）の弱体化のニュースが連日のように取り上げられ、インターネットの広告は、日に日にその重要度を増していっていると言えます。

しかし、どのような媒体が現れまた消えていったとしても、人間から目がなくならない限り「見る」

ということの基本動作には何ら変わりがありません。

もともと、広告には駅貼りのように、人通りの多いところに目立つように貼られるもの、新聞や雑誌のちょっとしたスペースに掲載されるものがありました。新聞がニュースサイトに、駅貼り広告がデジタルサイネージに変わることはあるかもしれませんが、自社のサービスや新製品を言葉はもちろんデザインや広告で告知していこうとする根本的な活動は決してなくならないでしょう。また、旬の媒体に乗り遅れないためにも、媒体依存しないビジュアルイメージを作成しておくことは重要です。

媒体依存せず、展開しやすいビジュアルイメージのためのポイントを挙げてみます。ぜひ、参考にしてみてください。

①キービジュアルがきちんと決まっているか
②スペースに対する見え方の基準を決めているか
③付加情報を同時掲載する際の視点誘導を考えているか
④単色・フルカラー表現はもちろん、ＲＧＢ表現とＣＭＹＫ表現の差異に対するポリシー（指針）を決めているか
⑤見やすさを保つ配慮を常に心がけているか

⑥ 情報量を過剰にしない心配りをしているか
⑦ ①から⑥も含めて、レギュレーションどおりに再現されているか

使えるフォーマット展開（レターヘッド、ファックスレポート、プレゼンシート、ブログスキン）

デザインを作ろうと思い立ったら、その時はたとえあてがなかったとしても、ぜひ様々なツールに展開するシミュレーションをしておくとよいと思います。ちょっとしたお礼や手紙、あるいはイベントの告知などもそうですが、デザインがきちんとしていると人柄や会社まできちんとしているように見られます。会社設立当時や事業のスタート時に「とりあえず！」として簡易に作った封筒や名刺をそのまま使っているということはありませんか？

多くの人は、会社やサービスや人でさえも「目に付いた勝手な印象」で記憶しています。言語情報による記憶、つまり名前や会社名、所属の他に視覚情報、なんとなくおっとりしているなとか、いつも大きい荷物を持っているなとか、赤い服が似合うなとか、そんなことを実はしっかり記憶しています。む

しろそういったなんとなくの「イメージ」で、判断されていることもないとは言えません。

急いで何かを仕上げようという時には、そのような展開を考えること自体、もしかするとちょっと無駄な手間だと感じてしまうかもしれません。しかし、シミュレーションをしておくと、様々なシーンを想定することで「強い」デザインができあがる可能性が高くなりますし、何よりも展開して使い続けることはとても大切なことなのです。

シミュレーションする際には、ロゴやイメージに関して、次の三項目を決定しておきます。

① 全体から見た位置
② ホワイトスペースの確保
③ 周囲環境による、印象の変化を守るための調整デザイン

ツールは、レターヘッドのような一枚もの、パワーポイントなどの企画書のように表紙と中身があるもの、ブログや名刺のようにロゴの他に情報が入るもの、と三段階に分けておくと新たにツール作成しなければならない時にも、このどれかにあてはまるので展開がしやすいのです。

よいデザインであれば、使い続けることで更に価値が出てきます。作った資産を宝の持ち腐れにして

はもったいないですね。つまり、最初から長く使えるデザインを作っておこうという意識を持つことが大切なのです。

メディアニュートラル時代のデザインを考える

もし、今、真っ白い紙を渡されて、「さあ、どうぞお好きな絵を描いてください」と言われたら、あなたならどうしますか。

ドキドキすることもない、迷うこともない、スイスイと絵が描ける……という人は、どちらかと言えば非常に稀なタイプではないでしょうか。あるいは、日頃からきちんと訓練をしている人に違いありません。つまり私たちは何かを作ろうと思うと、日常生活のほとんどにおいて、「何か参考資料はない?」と聞いて下絵やテンプレートなどを探し、それから企画書もウエブもブログのカスタマイズも行っているのです。

昭和の時代、数多くの教育の現場で「モノを作る」という授業は、参考作品を最初に見て、完成度の高いものを作るという目標標準があったと思います。「白紙から何か全く新しいものを作ろう」とする図画や工作、技術家庭科などは、そもそも主流ではありませんでした。

私が子供時代には、学校の先生から「今日はこんな本棚を作ります」「こんなお皿を作ってみましょう」と先に参考作品を見せられた記憶があります。それは、当然「こんな本棚」が基準値で、それから大きくはずれることを暗黙のうちに禁じていたように思います。

組み立てキットや、半完成品の教材等も多く使用して図画や工作を行っていましたし、当然、求められているのはオリジナリティではなく完成度。ですから、評価というものもこの、最初に提示される基準点から大きくはずれてしまった時点で、あまり高くはなくなるという風潮がありました。つまり、知らず知らずに今すでに出回っているものに標準を定め、その前後左右に収まってしまうようなもの作りを目指しがちなのです。意図的にそうしたいと思っていなくても、そうした概念を私たちが持っている可能性が高いという事実を、よく認識しておく必要があるのです。

情報化、グローバル化という視点から見ても、今後、商品のブランドや企業のイメージはより一層の重要性を持つと思われます。これは、まずアイデンティティをきちんと持つということ、そして、自己開示し、表現し、その魅力を顧客に愛されるようにするということに他なりません。

人は、それぞれが違う個性を持っていることに最大の意味があると思います。あなたも私も、よいところもあれば悪いところもあります。標準であるという必要性よりも、あなたが他の人とどこが違うのかという個性を見せることに価値のある時代がやってきたのです。

デザインや広告は、長い間一部の専門家や特定の種類の人々の特権であるかのようなところがありました。しかし今、メディアはよりパーソナルになり、デザインにまつわるツールもちょっと手を伸ばせば、誰でもが自由に使うことができます。

また、最近では（クラウドソーシングのように）、ウェブのコミュニティを通じて、「誰か、〇〇のデザインをしてくれる人はいない？」などと不特定多数の人にデザイン案件の協力を依頼することも可能です。デザインは今や開放されたと言っても過言ではないでしょう。

トーン・アンド・マナーによるデザイン作成の手法は、「あなたらしい雰囲気でいこうよ！」とあなたの背中を押してくれます。デザインを見る側の多くの人にとって、その背景やお墨付きよりも「自分との関わり」や「自分にとっての評価」が重要な時代に差し掛かっているのです。あなたの大切なビジネスパートナーである「デザイン」を、もう「〇〇風」仕立てにする必要はありません。自分にとっての「正解のデザイン」を身にまとい、前を向いて、胸を張って、正々堂々と歩けばよいのです。

Appendix

ポジショニングデザイン実践ワーク

ここまでの振り返りを兼ねて、実際にデザイン戦略立案のシミュレーションができるようにワークシートを用意しました。あなたのビジネスを、思いを、ぜひデザインを使って飛躍へと導いてください！

あなたのケースで実践しよう！
デザイン戦略の「方位（direction）」を決める

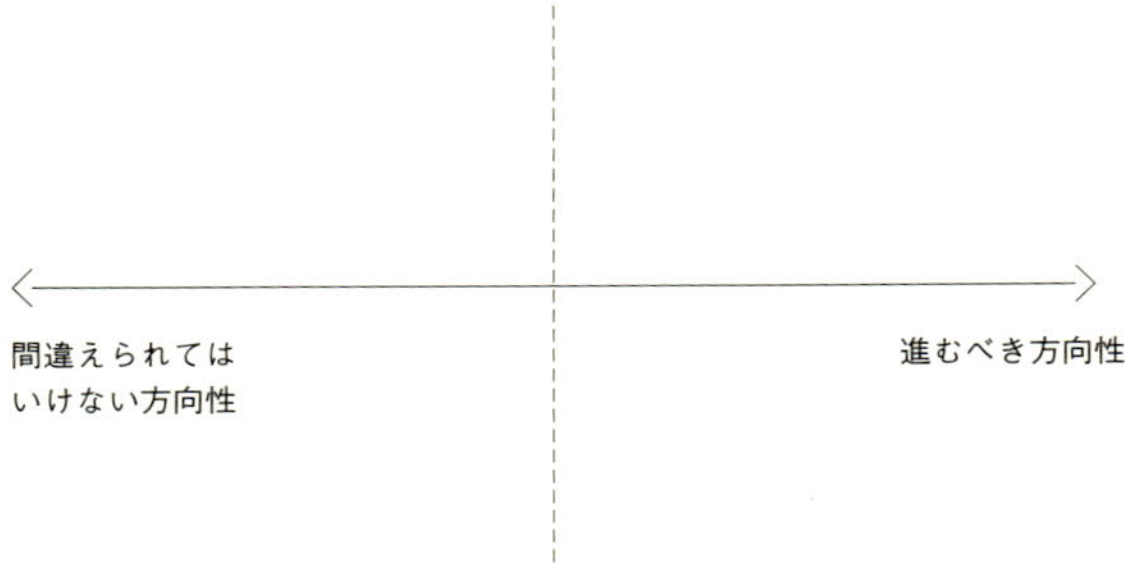

Q. あなたの担当商品について、デザイン戦略を立案してみましょう

【参考】P.56　図［デザイン戦略には企業の未来を折り込む］

あなたのケースで実践しよう！
デザイン戦略の「角度（reach）」を決める

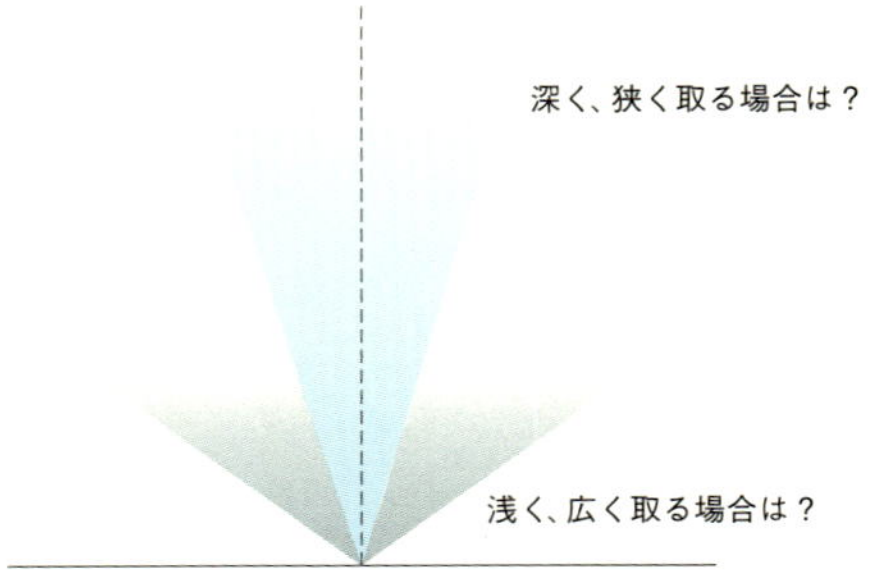

Q. あなたの担当商品について、デザイン戦略を立案してみましょう

【参考】P.68　ターゲットを深く、狭く取る

あなたのケースで実践しよう！
デザイン戦略の「クラス（class）」を決める

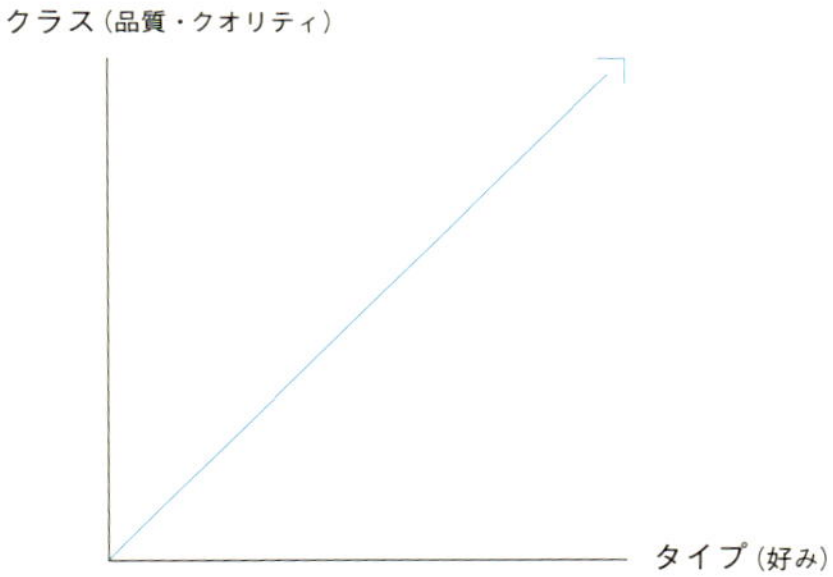

Q. あなたの担当商品について、デザイン戦略を立案してみましょう

【参考】P.58　図［レベルの同化］

あなたのケースで実践しよう！
デザイン戦略の「タイプ（type）」を決める

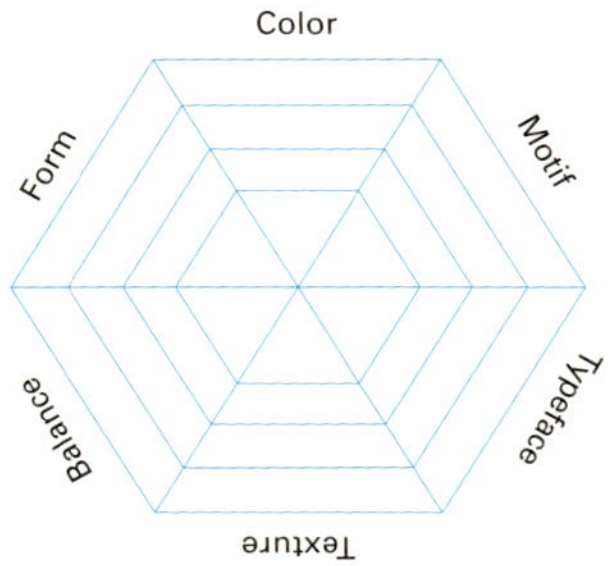

Q. どのようなタイプを意識したデザインの戦略が望ましいでしょうか？

【参考】P.87　デザインのタイプとは？

あなたのケースで実践しよう！
デザイン戦略の「テーマ（concept）」を考えた上で
ポジショニング・マトリクスを作ってみよう

Q. あなたの担当商品について、デザインのコンセプトを立案してみましょう

【参考】P.103　デザイン戦略の「テーマ（concept）」を決める

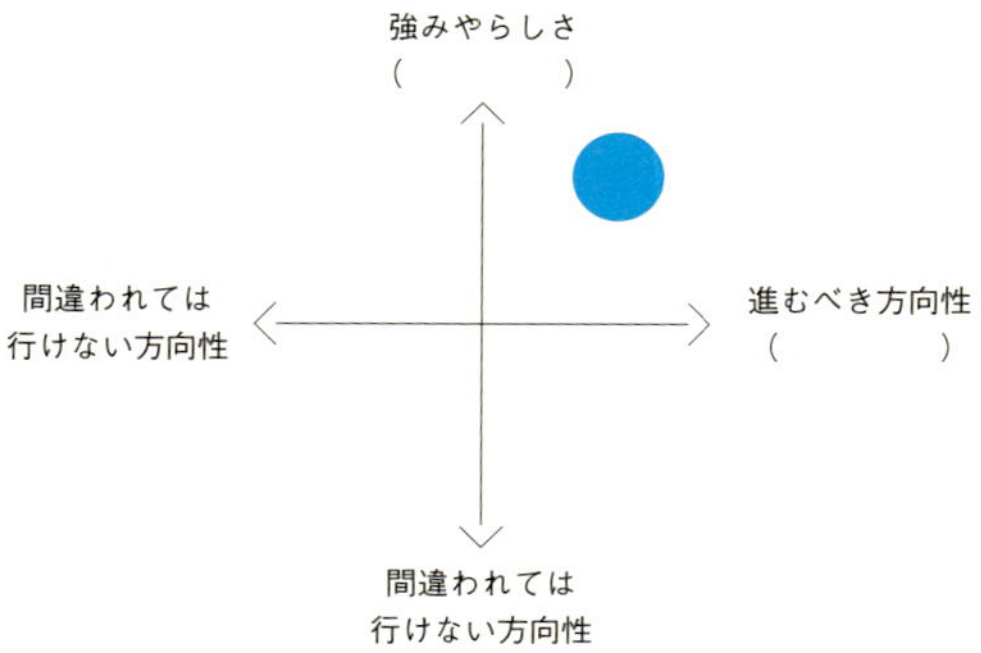

Q. それは『何』だと判断されれば勝ち目があるのでしょうか？
ポジショニング戦略を立案してみましょう

【参考】P.120　なぜポジショニングデザインはぶれないのか

あなたのケースで実践しよう！
ブランドを育てながらマーケティングをしてさらに売る……
そんなイメージを思い描きながら中長期計画を立てよう

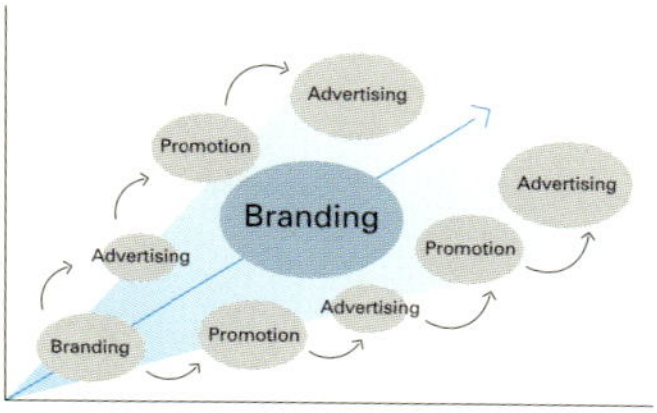

Q. あなたの担当商品や会社について、
ブランドを育てるために中長期計画を立ててみましょう

【参考】P.128　トンマナで作れば、デザインはブランドマーケティング

あなたのケースで実践しよう！
広報や販促がすべて効率よくブランドイメージに集約、
蓄積されていくような効率のよいブランド構築を目指そう

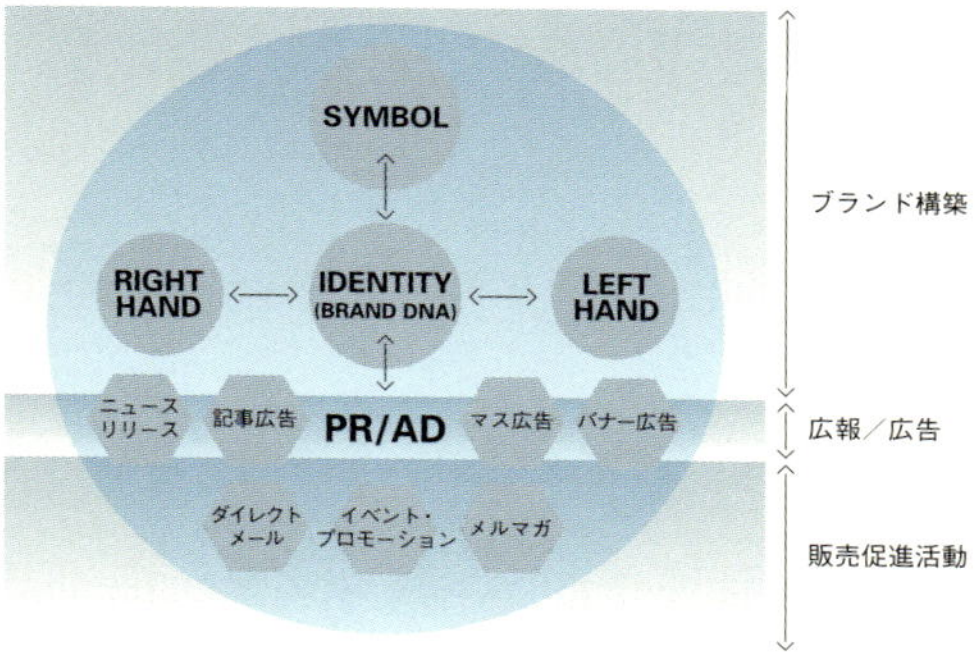

【参考】P.128　トンマナで作れば、デザインはブランドマーケティング

あなたのケースで実践しよう！
デザイン戦略のチェックシート

トーン・アンド・マナーの力を知る

（使用項目と戦略意図を確認しよう）

□写真を使う

□グラフィックを使う

□イラストやキャラクターを使う

□ホワイトスペースを使う

□コントラストを使う

□テクスチャーを使う

□フォントを使う

デザイン戦略を正しく使うために

（品質管理のためのチェックシート）

□レギュレーション

□リサイズ

□ツール展開 / メディア展開

あなたのケースで実践しよう！
トンマナデザイン10カ条

□ 使えるデザインになっている？
→デザインは正しいインプットによって、人の暮らしや夢を助ける「ツール」

□ さくさくと動く、機能するデザインなっている？
→デザインが機能の邪魔をしてはいけない

□ シンプルにデザインしている？
→シンプルこそ、パワー

□ 魅力的で分かりやすいデザイン？
→ベテランにも、あるいは初心者にも

□ はっとするような新しさはある？
→古い何かを打ち破るくらいに

□ ユニバーサルなデザイン？
→全世界の隣人にためらいなく自慢できるデザインになっている？

□ そのデザインは資産であり、武器にもなっている？
→デザインはビジネスの戦友

□ 美しくなるための努力を怠ってはいない？
→美しいことも、強さ

□ 信頼感を与える、バランスやクオリティを保っている？
→クラスアップしよう

□ あなたらしさはちゃんと出ている？
→胸を張って、世界のオンリーワンになろう

おわりに

正直なところ、もうこの本は出ないかもしれない……、とあきらめかけたことさえあります。こちらの企画をいただいてから、執筆に至るまでにかなりの時間がかかったにもかかわらず、執筆は困難を極め、春先に脱稿の予定が梅雨に、そして気がつけば夏の日差しはすでに傾いていました。

前著『視覚マーケティングのススメ』を執筆した時のご縁で、さまざまな著者さんとの交流が生まれ、次々と知人の新刊が出て行く中、悶々とした思いだけが募りました。ひと月に十何万字も書ける著者さんの心構えの本や、一晩に何万字も書ける知人の話などは特に耳に痛く、空から降ってくる雨をひたすら待っているような、いつ咲くのか分からない花のつぼみをずっと見つめているような、そんな自分の不甲斐なさに、嫌気も差していました。

今回、私自身は初めて女性の編集者さんとお仕事をさせていただいたのですが、常に動揺も見せず冷静に対応をしていただきました。たぶん、現場の調整は本当に大変だったに違いありません。著者に苦しむ姿を見せずに、耐え踏ん張っていただいたのだと思います。でも、今、ついに「おわりに」を書いています。言葉にならない程の感謝です。ついに、書き終わった！　この超スローペースの著者をここまで導いていただいた、編集者の松山さんにまずなによりも心よりお礼申し上げます。

今、日本は歴史上に残る不景気と言われています。壁にぶち当たっている人。以前の私と同じように就職の困難にぶち当たっている人。元気をなくしている人。忙しくて休む間もないという人。現状が厳しい、先が見えないという人もいると思います。

こんな時だからこそ私は、「今こそデザインの出番」だと思っています。今回のような厳しい状況の中、なんとかこの書籍を書き上げられたのも、毎日元気でいられるのも、明日の仕事の事を前向きに考えられるのも「美しいデザイン」や「優しい、心洗われるデザイン」や「強く私をリードしてくれるデザイン」のおかげです。極論かもしれませんが、「美しい」ものを「美しい」、「素敵」なものを「素敵」と感じられる人は、幸せのオーラに満ちています。

そういえば、装丁を担当していただいたデザイナーの甲谷一さんにも、いったい、どれほどの勇気をもらったか分かりません。「もうダメだ」とへこたれている時、甲谷さんの気合いのデザインが届くたび、死の渕から生還するような思いでした。そして、「そうだ、私もやれる。まだやれる。もっと先まで、きっと行ける」と、確信を持てるようになるのです。決して大袈裟な話ではなく、気持ちを込めたデザインには人を突き動かすパワーがあるのです。

ポジショニングの考え方は、望むべき未来を「作る」手助けをきっとしてくれるに違いありません。過去を振り返り、今、ここにいること自体に私自身はとても幸せを感じています。いろいろあるのが人生なのです。けれども、方向を決めて自分の居場所を確保し、自分らしく輝くことができれば、何も怖いことはありません。そして、この先の未来も明るいのです。力強く、明るく、鮮やかなデザインを作り続けている限り、私も輝けるという確信を持っているのです。

ぜひ、あなたもデザインのパワーを感じてください。デザインの力で、これからももっと、輝いていってください。未来は、あなたの手で作るものなのですから。

ウジトモコ

二〇〇九年九月

〈参考文献〉

デザイン関連書籍

『Balance in Design—美しくみせるデザインの原則』
キンバリー・イーラム著／ビー・エヌ・エヌ新社／２００５年

『Design Rule Index—デザイン、新・１００の法則』
ウィリアム・リドウェル、クリティナ・ホールデン、ジル・バトラー著／ビー・エヌ・エヌ新社／２００４年

『Typographic Systems—美しい文字レイアウト、８つのシステム』
キンバリー・イーラム著／ビー・エヌ・エヌ新社／２００７年

『売れる色・売れるデザイン』
高坂美紀著／ビー・エヌ・エヌ新社／２００３年

『欧文書体—その背景と使い方』
小林章著／美術出版社／２００５年

『誰のためのデザイン？—認知科学者のデザイン原論』
ドナルド・Ａ・ノーマン著／新曜社／１９９０年

『デザイン・リサーチ・メソッド10—未来のニーズを形にする先端手法』
日経デザイン編／日経ＢＰ社／２００９年

『ヒット企業のデザイン戦略—イノベーションを生み続ける組織』
クレイグ・Ｍ・ボーゲル、ジョナサン・ケーガン、ピーター・ボートライト著／英治出版／２００６年

マーケティング、ブランディング関連書籍

『売れるもマーケ 当たるもマーケ—マーケティング22の法則』
アル・ライズ、ジャック・トラウト著／東急エージェンシー出版部／１９９４年

『ブランドギャップ』
マーティー・ニューマイヤー著／トランスワールドジャパン／２００６年

『ポジショニング戦略［新版］』
アル・ライズ、ジャック・トラウト著／海と月社／２００８年

『マーケティング脳 ｖｓ マネジメント脳—なぜ現場と経営層では話がかみ合わないのか？』

アル・ライズ、ローラ・ライズ著／翔泳社／２００９年

ウジ トモコ （アートディレクター）

多摩美術大学グラフィックデザイン科卒
広告代理店および制作会社にて三菱電機、日清食品、服部セイコーなど大手企業のクリエイティブを担当。1994年ウジパブリシティー設立。
デザインを経営戦略としてとらえ、採用、販促、ブランディング等で飛躍的な効果を上げる「視覚マーケティング」の提唱者。
ビジュアルディレクターとして数多くの企業の新規事業開発、事業転換期のデザイン戦略を立案。視覚戦略を駆使したパフォーマンスの高いクリエイティブに定評がある。視覚マーケティングを軸にしたノンデザイナー向けデザインセミナーも多数開催。ちばデザイン塾（千葉工業大学主催）、日本マーケティング研究協会講師など。著書に『視覚マーケティングのススメ』（クロスメディア・パブリッシング）、『視覚マーケティング実践講座 ブログデザインで自分ブランドを魅せる』（インプレスジャパン）がある。

株式会社ウジパブリシティー代表　http://www.uji-publicity.com

売れるデザインのしくみ
トーン・アンド・マナーで魅せるブランドデザイン

2009年10月16日　初版発行
2009年12月12日　初版第2刷発行

著者　ウジ トモコ
デザイン　Happy and Happy（甲谷 一 / 秦泉寺 眞妃）
編集　松山 知世
発行人　籔内 康一
発行所　株式会社ビー・エヌ・エヌ新社
〒104-0042 東京都中央区入船3-7-2 35山京ビル1階
fax 03-5543-3108　e-mail info@bnn.co.jp　http://www.bnn.co.jp/
印刷　シナノ印刷株式会社

ISBN978-4-86100-632-6　Printed in Japan